Steil!   Dawn!

Enwogrwydd!

Pop a roc a ballu!

Cam bychan
at y llwyfan mawr!

Gweld Sêr

Gweld Sêr

Lwc Mwnci

Cindy Jefferies

addasiad

Emily Huws

Argraffiad cyntaf: 2009

ⓗ addasiad Cymraeg: Emily Huws

Rhif rhyngwladol: 978-1-84527-162-6

Mae'r cyhoeddwr yn cydnabod cefnogaeth ariannol
Cyngor Llyfrau Cymru

Cyhoeddwyd yn wreiddiol yn Saesneg gan Usborne Publishing Ltd.
© testun Saesneg: Cindy Jefferies
Cyhoeddwyd yn Gymraeg gan Wasg Carreg Gwalch,
12 Iard yr Orsaf, Llanrwst, Conwy, LL26 0EH.
Ffôn: 01492 642031 Ffacs: 01492 641502
e-bost: llyfrau@carreg-gwalch.co.uk
lle ar y we: www.carreg-gwalch.co.uk

Argraffwyd a chyhoeddwyd yng Nghymru.

Gweld Sêr

1. Cochyn

"Dau farc Sêr y Dyfodol arall! *Dau!*" siglodd Collwyn – neu Cochyn i'w ffrindiau i gyd – ei ben yn fuddugoliaethus, gan wneud i'w wallt coch, crych sboncio'n wyllt wirion. Cafodd ei ffrind, Dan James, gip brysiog ar ei gerdyn marciau ei hun. Gwenodd, a'i roi yn ei fag yn ddistaw.

Doedd y ddau ffrind yn ddim byd tebyg i'w gilydd. Cochyn â'i wallt hir, cyrliog, ei drwyn smwt a'i wyneb yn frychni haul drosto yn tynnu sylw ar unwaith – yr un fath yn union â'i natur lon a'i chwerthin swnllyd. Roedd ganddo gloch dan bob dant, yn enwedig ar ôl rhoi un cam yn nes at ei uchelgais! Roedd o bron â thorri'i fol eisiau dawnsio yn y cyngerdd Sêr y Dyfodol a fyddai'n cael ei recordio yn stiwdio Barcud o flaen cynulleidfa o bwysigion y diwydiant adloniant. Roedd *pawb* eisiau bod yn y sioe, ond y goreuon yn unig gâi eu dewis. Gobaith mawr

Cochyn oedd cael perfformio yn y cyngerdd – lwc mwnci wedyn a byddai'r golau llachar yn sgleinio arno fo!

Roedd perfformiadau pawb yn y cyngerdd ysgol diweddaraf – cyngerdd elusen awyr agored ardderchog oedd wedi'i drefnu gan Llywela Cadwaladr – wedi rhoi marciau Sêr y Dyfodol iddyn nhw i gyd, a Cochyn wedi bod yn aros yn bryderus dros y gwyliau hanner tymor i gael gwybod sut hwyl roedd o wedi'i gael. Erbyn hyn, gwyddai, a theimlai'n sicr y byddai ei gyffro yn ei sbarduno i'r entrychion. Drwy'r gwyliau bu'n dysgu amryw o symudiadau hip-hop ac yn awr roedd o'n awyddus i'w dangos i Dan.

"Gwylia hyn!" meddai, gan chwipio'i gorff i fyny a sefyll yn syth ar ei ddwylo.

"Waw!" gwenodd Dan. Ond doedd Cochyn ddim wedi gorffen. Cerddodd rai metrau ar ei ddwylo ac yna, gydag un symudiad llyfn, rowliodd a neidio'n ôl ar ei draed. Roedd Dan yn wirioneddol edmygus.

"Dawnsio stryd!" cyhoeddodd Cochyn, yn wên o glust i glust. "Dyna'r dyfodol! Mae 'na gymaint o symudiadau gwych yn perthyn i'r math yma o ddawnsio."

Ar hynny, aeth i lawr yn ei gwman ar y coridor a dechrau troi fel chwyrligwgan ar ei ysgwyddau. Wedi troelli unwaith neu ddwy, syrthiodd, ei goesau a'i freichiau ar hyd ac ar led ar draws pawb arall.

Chwarddodd Dan. "Tu allan ddylet ti fod yn gwneud hynna!" meddai.

"Er mwyn y nefoedd!" protestiodd Llywela am ei bod yn gorfod camu drosto er mwyn mynd heibio. "Be wyt ti'n 'neud?"

Gwenodd Cochyn. Byddai Llywela'n ddigon pigog yn aml ac roedd Cochyn wrth ei fodd yn ei phryfocio. "Rhoi sglein ar y llawr," chwarddodd gan godi ar ei draed. "Ydi o'n edrych yn well rŵan?"

Fel roedd Llywela'n gwgu cyn troi ei chefn i fynd oddi yno, ychwanegodd Cochyn wrth Dan, "A dweud y gwir, fedrwn i ddim troelli'n iawn am nad oedd y llawr yn ddigon llithrig. Mae rhai dawnswyr stryd yn cario darn mawr o gardfwrdd efo nhw i bobman, er mwyn gofalu bod ganddyn nhw lawr da i berfformio arno."

"Wel, am strach!" ebychodd Dan.

"Nid dyna'r agwedd iawn i ddawnsiwr stryd!" mynnodd Cochyn, a throi fel top ar un goes – symudiad digon tebyg i'r hyn fyddai dawnsiwr bale yn ei wneud.

"Diolch byth nad dawnsiwr ydw i, felly," atgoffodd Dan o gan wenu.

Drymiwr oedd Dan. Roedd yntau, fel Cochyn, yn ddisgybl ym Mhlas Dolwen a'r ysgol yn lle perffaith ar eu cyfer nhw. Roedd hi'n ysgol breswyl ardderchog, yn dysgu popeth roedd y myfyrwyr angen ei wybod ar gyfer gyrfa yn y diwydiant cerddoriaeth, yn ogystal â dysgu'r holl bynciau ysgol arferol hefyd.

Dawnsio bywiog, dawnus Cochyn oedd wedi ennill lle iddo ym Mhlas Dolwen. Roedd ganddo lais canu da hefyd, ond dawnsio oedd ei gariad pennaf a'i uchelgais oedd dawnsio yn y fideos pop gorau un.

"Ty'd 'laen!" crefodd ar Dan. "Ty'd i weld pa raddau gafodd y lleill!" Lluchiodd ei fag dros ei ysgwydd a rhuthrodd i gyfeiriad yr ystafell fwyta, gan adael Dan i'w ddilyn.

Cyrhaeddodd Cochyn at yr efeilliaid Fflur a Ffion Lewis – y ddwy yn enwog am eu llwyddiant fel modelau – a gwthiodd rhyngddynt, gan daflu'i freichiau am eu hysgwyddau.

"Gad lonydd, wir, Cochyn!" chwarddodd Fflur wrth wingo o'i afael a cheisio tacluso'i gwallt hir, du."

Gwthiodd Ffion o draw hefyd. "Be sy'n bod?" gofynnodd.

"Marciau!" meddai Cochyn, a gwên lydan ar ei wyneb. "Wyddoch chi be? Dwi wedi cael dau arall. Bydda i'n *siŵr* o fod yn ddigon da i ddawnsio yn y cyngerdd Sêr y Dyfodol." Cydiodd yn Ffion drachefn a'i throelli rownd a rownd."

"Ella," cytunodd Fflur, gan gamu i'r ochr er mwyn osgoi Cochyn a'i chwaer oedd yn wên i gyd. "Ond dydyn nhw ddim yn penderfynu'n derfynol tan bron i ddiwedd y tymor. Fedri di ddim gorffwys ar dy rwyfau, cofia."

"Wn i," cytunodd Cochyn, gan edrych yn ddifrifol am funud. Gollyngodd ei afael ar Ffion. "Ond maen nhw bob amser eisio amrywiaeth dda o fyfyrwyr, a does dim cymaint â hynny o bobl yn arbenigo mewn dawns. Dwi'n meddwl fod gen i gystal siawns â neb."

"Dwi'n meddwl dy fod ti'n iawn," cytunodd Ffion, yn dal yn fyr ei gwynt. "Chdi ydi'r dawnsiwr gorau yn ein blwyddyn ni o bell ffordd. Wn i dy fod ti'n sâl eisio'r cyfle yma."

"Fel pawb arall!" protestiodd ei chwaer. "Gall y cyngerdd Sêr y Dyfodol wneud gwyrthiau i'n dyfodol *ninnau* hefyd, Ffion. Meddylia am y gynulleidfa." Crynodd, yn gyffro i gyd. "Bydd fflyd o bobl bwysig o'r diwydiant cerddoriaeth yno a phob un ohonyn nhw'n barod i roi cyfle i'r perfformiadau gorau! Ac mae hynny hyd yn oed cyn i'r rhaglen gael ei darlledu!"

"Ond dach chi'ch dwy yn fodelau enwog yn barod," mynnodd Cochyn. "A dach chi hanner y ffordd i fod yn gantorion pop enwog hefyd. Mae'n wahanol i mi. Mae arna i angen lwc mwnci! Gallai perfformio mewn cyngerdd Sêr y Dyfodol agor pob math o ddrysau i mi."

Dyna pryd y cyrhaeddodd Dan at y criw a throdd Ffion ato fel roedden nhw'n cyrraedd yr ystafell fwyta.

"Sut hwyl gest ti, Dan?" gofynnodd. "Gest ti farciau Sêr y Dyfodol?"

Nodiodd Dan yn ddifrifol. "Do," meddai. "Ond doedd fy ngraddau mathemateg ddim cystal."

"Dim ots am hynny!" meddai Cochyn wrtho. "Ty'd 'laen. Dweud wrthon ni. Sawl marc Sêr y Dyfodol gest ti? Anghofiais i ofyn gynna. Roeddwn i wedi gwirioni gymaint 'mod i wedi cael dau."

"Tri," meddai Dan, yn chwithig braidd.

"Tri!" sgrechiodd Fflur. "Does neb *byth* yn cael *tri*! Roeddwn i'n meddwl mai dim ond dau medren ni gael am bob pwnc?"

Rhythodd Cochyn yn gegagored ar Dan, ond doedd ei natur hael ddim yn gadael iddo fod yn wenwynllyd am fwy na rhyw eiliad neu ddau.

"Wel!" chwarddodd, gan ddyrnu cefn Dan yn ganmoliaethus. "Diolch byth nad wyt ti'n ddawnsiwr, neu fyddai gen i ddim gobaith mul. Da iawn! Ty'd i nôl bwyd. Dwi ar lwgu." Trodd ar un goes ac anelu drwy'r drws i ymuno â'r rhes o fyfyrwyr oedd yn aros am eu cinio.

Wrth fwyta, roedd y rhan fwyaf o'r myfyrwyr yn

cymharu graddau. Byddai'n rhaid iddyn nhw weithio'n galed iawn yn ystod ail hanner y tymor i wneud yn well y tro nesa.

Er bod y rhan fwyaf o raddau Ffion yn well na'r tro cynt, roedd yn rhaid i'r gantores orau yn y dosbarth, Erin Elis, weithio'n galetach yn y gwersi mathemateg, fel Dan, ac roedd graddau daearyddiaeth a ffiseg Llywela, a chwaraeai gitâr fas, wedi gostwng.

Roedd graddau'r rhan fwyaf o bynciau academaidd Cochyn wedi gostwng, ond fedrai dim ddod â'i draed yn ôl i lawr ar y ddaear. "Dwi ar fy ffordd i gyngerdd Sêr y Dyfodol!" canodd fel roedden nhw'n cerdded i'r wers nesa, a bu bron iddo daro Llywela i'r llawr wrth luchio'i freichiau ar led.

Cael a chael oedd hi i Llywela ei osgoi ac edrychodd yn ddu iawn ar Cochyn. "Bydd yn ofalus!" rhybuddiodd yn flin.

Ond doedd Cochyn ddim am adael i Llywela luchio dŵr oer dros ei hwyliau da. "Dim ond y rhai sy'n methu rheoli'u corff sy'n syrthio os nad ydyn nhw'n ofalus," meddai wrthi'n fawreddog, a throelli gyda mwy fyth o reolaeth. "Dawnsiwr ydw i, a dwi'n medru rheoli 'nghorff *drwy'r* amser."

"Ella medri di reoli dy gorff," wfftiodd Llywela, "ond wn i ddim am dy ben di. Dwyt ti ddim yn gweld dy fod ti dan draed?" Gwthiodd heibio iddo ac i ffwrdd â hi ar hyd y coridor o flaen pawb arall.

"Llywela, paid â mynd o'n blaen ni!" galwodd Cochyn ar ei hôl, gan ffugio bod yn drist. "Mae arnon ni d'angen di!"

Chwarddodd Erin. "Paid â'i phryfocio hi, Cochyn," protestiodd. "Rwyt ti'n gwybod fod yn gas ganddi rywun yn tynnu'i choes."

Yn y wers ddaearyddiaeth, roedd Cochyn mewn tymer rhy wirion o lawer i ganolbwyntio ar y gwaith. Heblaw am y gwersi dawns, câi drafferth gyda'r rhan fwyaf o'r gwaith, hyd yn oed pan oedd o'n gwneud ei orau, ond pan oedd o'n llawn cyffro ynghylch dawnsio, methai'n lân â chanolbwyntio. Doedd gan yr athro daearyddiaeth fawr o gydymdeimlad â'i ymddygiad. Cafodd bryd o dafod yn y wers Gymraeg hefyd. Roedd pawb i fod i ysgrifennu barddoniaeth am eu hoff bethau. Chwarddodd pawb am ben ymdrechion doniol Cochyn.

"*Mae dawnsio'n braf, mae dawnsio'n sbri,*" darllenodd yn uchel pan ddaeth ei dro. "*Yn arbennig â Llywela'n syrthio ar ei thin.*"

Ond doedd Llywela ddim yn chwerthin, na'r athrawes chwaith. "Nid barddoniaeth ydi peth fel'na," meddai Mrs Hughes wrtho. "Dydi o ddim yn odli hyd yn oed. Dwyt ti ddim yn trïo."

"Ydw, mi rydw i," protestiodd, gan rowlio'i lygaid yn wyllt a gwneud i'r dosbarth chwerthin mwy fyth.

Doedd hynny ddim yn plesio'r athrawes o gwbl. "Dwi eisio chwe llinell *gall* ynghylch dawnsio erbyn pnawn fory, neu byddi di mewn rhagor o helynt," siarsiodd. "Dwyt ti ddim yn arfer bod mor hurt â hyn, Collwyn. Be sy'n bod arnat ti heddiw?"

"Marciau Sêr y Dyfodol," atebodd yn wên i gyd. "Ces i ddau arall y tro yma. Dwi ar y blaen i'r dawnswyr eraill yn fy ngrŵp, a dwi'n *sicr* y bydda i'n dawnsio yn y cyngerdd ar ddiwedd y tymor."

"Newydd da iawn," cytunodd yr athrawes. "Dwi'n

synnu dim dy fod ti wedi cynhyrfu gymaint, ond gwna dy orau i hynny beidio ag amharu ar y gwersi eraill. Dydi o ddim yn deg â'r lleill, waeth faint maen nhw'n mwynhau dy lolian di. Cofia na fedri di, o bawb, ddim fforddio gwastraffu amser."

"Buost ti'n lwcus iawn," meddai Dan wrtho ar ôl y wers. "Roeddwn i'n meddwl y byddet ti mewn helynt go iawn."

Gwenodd Cochyn ar ei ffrind. "*Perfformiwr* ydw i," meddai, a lluchio'i hun i fyny i neidio'n uchel gan roi tro yn yr awyr. Glaniodd yn daclus wrth ochr Dan, yn gwenu'n braf. "Fydd Cymraeg a daearyddiaeth yn gwneud dim gwahaniaeth o gwbl pan fydda i'n recordio fideos pop. Waeth gen i faint fydd yr athrawon yn gwyno. Fydd *dim byd* yn fy rhwystro i rŵan. Waeth be fydd yn digwydd. Bydda i'n dawnsio yn y cyngerdd Sêr y Dyfodol, gei di weld!"

2. Druan o Athrawon!

Yn y wers fywydeg, roedden nhw'n astudio sut roedd y llygad yn gweithio ac roedd Mrs Prydderch, yr athrawes wyddoniaeth, am ddangos cyfres o sleidiau i'r dosbarth. "Collwyn, wnei di gau'r bleind, os gweli di'n dda?" gofynnodd.

Neidiodd Cochyn ar ei draed, gan daro'r stôl oedd wrth ei ymyl nes bod honno'n sglefrio'n swnllyd yn erbyn y fainc o flaen y ffenest.

Dechreuodd ambell un o'r myfyrwyr chwerthin, ond roedd Mrs Prydderch yn wyllt gacwn. "Paid â chwarae'n wirion yn fy ngwersi i," meddai wrtho, "neu fe gei di radd waeth fyth y tro nesa. Cod y stôl 'na a dos i eistedd."

Ond doedd hi ddim haws. Roedd popeth yn ddoniol i Cochyn ar y funud. Fedrai o yn ei fyw fihafio'i hun.

Roedd y sylwadau a sibrydai Cochyn dan ei wynt

yn ystod y sioe sleidiau yn rhy ddistaw i Mrs
Prydderch eu clywed, ond roedd hi'n anodd i'w
ffrindiau beidio chwerthin yn uchel. Teimlai Ffion, a
hoffai fywydeg yn fawr, yn rhwystredig am nad oedd
hi'n medru canolbwyntio'n iawn.

"Taw!" sibrydodd yn flin. Plygodd a rhoi pwniad i
Cochyn yn ei gefn, ond roedd hi wedi camgymryd
os oedd hi wedi gobeithio y byddai hynny'n gwneud
iddo fihafio. Dechreuodd Cochyn orymateb a mynd
dros ben llestri.

"Ooo!" sgrechiodd a neidio o'i sedd, gan edrych
fel petai'n cael cam mawr a gwneud i'r rhai agosaf
ato ffrwydro chwerthin.

Erbyn hyn roedd Mrs Prydderch wedi cael llond
bol. Gyrrodd Cochyn allan o'r ystafell ddosbarth nes
bod y wers wedi gorffen. "Os na fedri di fihafio, does
dim croeso i ti yn fy nosbarth i," meddai. "Eistedda y
tu allan i'r drws nes byddwn ni wedi gorffen, a
chopïo'r gwaith yn nes ymlaen."

"Does dim ots gen i," meddai Cochyn wrth Dan
yn ddiweddarach. "Hen ddynes ddideimlad ydi Mrs
Prydderch!" Dechreuodd ddynwared Mrs Prydderch

yn dweud y drefn nes bod Dan yn glanna chwerthin.

Gwers ddawns gyffredinol oedd y peth nesa ar yr amserlen. Am y ddwy flynedd gyntaf ym Mhlas Dolwen, roedd yn rhaid i bob myfyriwr astudio dawns fel rhan o'u cwrs addysg. Roedd hynny'n ffordd wych iddyn nhw gadw'n heini yn ogystal â datblygu osgo ac ymarweddiad hunanfeddiannol. Roedd y myfyrwyr oedd wedi dod i Blas Dolwen i arbenigo mewn dawns yn dysgu dawnsio modern, dawnsio jazz a hoff ddull Cochyn, sef y dull rhydd, a oedd yn siwtio'i ddychymyg a'i egni fo i'r dim. Ond heddiw, roedd hi'n wers ddawns ar gyfer y myfyrwyr i gyd ac felly doedd hi'n fawr o her i Cochyn ddawnus. Roedd o wedi mwynhau dawnsio erioed, felly roedd yn berffaith fodlon dilyn y wers hon heb orfod canolbwyntio'n llwyr. Ond yr hyn a hoffai fwyaf oedd pan fyddai ei athro, Mr Penardos, yn rhoi hyfforddiant unigol iddo yn y grŵp dawns arbennig. Dyna pryd fyddai Cochyn yn gwneud ei orau glas ac yn mwynhau pob eiliad.

Roedd pawb yn llawn egni ar ôl y gwyliau hanner tymor, felly, ar ôl iddyn nhw orffen yr ymarferion ymestyn er mwyn cynhesu, rhoddodd Mr Penardos dipyn o gerddoriaeth fywiog ar y peiriant sain a gofyn i bawb loncian yn yr unfan am ychydig funudau.

"Daliwch ati!" anogodd. "Dilynwch fi. Breichiau i fyny dau ... tri ... ac i lawr dau ... tri ... Cam ymlaen – da iawn Ffion – ac yn ôl dau ... tri."

Doedd dim rhaid i Cochyn ganolbwyntio wrth fynd drwy'r drefn arferol syml. Bron na fedrai gwblhau'r symudiadau yn ei gwsg! Tra oedden nhw'n cael hoe fer, rhoddodd bwniad i'r bachgen agosaf ato, Martin, dawnsiwr talentog arall.

"Betia i y medra i ddynwared pobl a dawnsio ar yr un pryd," meddai Cochyn. "Dwi wedi bod yn gwylio pawb. Mae pob myfyriwr yn symud chydig bach yn wahanol."

"Cer 'laen, 'ta," anogodd Martin. "Actia Llywela. Dylai hi fod yn ddigon hawdd."

Cododd Cochyn ar ei draed a syllu'n syth i'r lle gwag o'i flaen gyda golwg filain ar ei wyneb. Yna dechreuodd loncian yn gefnsyth. Roedd o'r un ffunud â Llywela pan fyddai hi'n canolbwyntio'n galed ar rywbeth nad oedd hi wir yn hoffi'i wneud.

Chwarddodd Martin. "Actia rai o'r lleill," meddai, ond roedd yn rhaid i Cochyn roi'r gorau iddi am fod Mr Penardos yn barod i ailddechrau'r wers.

Fel roedd y wers yn mynd yn ei blaen, clywyd rhagor o chwerthin o gyfeiriad Cochyn a rhai o'r disgyblion eraill. Roedd o'n diddanu ei ffrindiau drwy eu dynwared ac yn eu copïo nhw'n berffaith. Dyna Erin gyda'i symudiadau sionc, brwdfrydig, fyddai'n mynd o chwith weithiau, ac Ed Henderson y gitarydd a oedd yn dioddef y wers ddawns am ei fod o'n gorfod gwneud hynny, er nad oedd o'n amlwg ddim yn mwynhau o gwbl, a Fflur a Ffion oedd yn ddifrifol, broffesiynol.

"Diolch iti, Cochyn," meddai Mr Penardos. "Mae hynna'n glyfar iawn ond rwyt ti'n tarfu ar fy nosbarth i."

Wedi i Mr Penardos ddiffodd y gerddoriaeth, dechreuodd siarad gyda'r dosbarth i gyd. "Iawn. Dyna ni, bawb. Rŵan, peidiwch ag anghofio oeri'r cyhyrau'n araf. Mae hynny yr un mor bwysig â'u cynhesu nhw ar ddechrau gwers. Dan ni ddim eisiau damweiniau, nac ydan? Cochyn, fedri di aros ar ôl i ni gael sgwrs fach, os gweli di'n dda?"

"Rwyt ti'n mynd i'w chael hi!" rhybuddiodd Martin. "O! Bechod!"

Ond doedd Mr Penardos ddim eisiau dweud y drefn wrth Cochyn. "Dwi'n sylweddoli dy fod ti'n syrffedu yn y wers ddawns gyffredinol," meddai ar ôl i'r lleill fynd. "Ond dylet ti ddefnyddio'r cyfle i gadw'n heini. Camgymeriad ydi meddwl dy fod ti'n rhy dda i wneud ymarferion syml. Maen nhw'n dy gadw di'n hyblyg ac yn gymorth i beidio cael anaf."

Nodiodd Cochyn, ond doedd Mr Penardos ddim wedi gorffen. "Mae dawnsiwr newydd yn ymuno â ni fory," ychwanegodd. "Fyddwn ni ddim fel arfer yn derbyn rhywun mor hwyr yn y flwyddyn ysgol, ond mae ei rieni o newydd ddod yma o Hong Kong ac yn awyddus iddo ddechrau mewn ysgol ar unwaith. Cafodd glyweliad yn ystod y gwyliau hanner tymor a gwneud argraff dda iawn arnon ni. Mae ganddo fo gefndir dawnsio clasurol cryf iawn. Gallai hynny fod o ddiddordeb mawr i ti."

Roedd wyneb Cochyn yn hollol ddifynegiant.

Doedd o ddim yn siŵr o gwbl oedd o'n hoffi'r syniad o fyfyriwr newydd allai fod yn dawnsio'n well nag o yn dod atyn nhw.

"Paid â phoeni!" chwarddodd Mr Penardos, fel petai'n deall yn union beth oedd ar feddwl Cochyn. "Fydd o ddim yn fwy disglair na chdi! Medri ditha ddysgu tipyn iddo ynghylch dawnsio rhydd. Mae dulliau modern yn hollol ddieithr iddo ond bydd o'n ychwanegiad rhagorol i'n dosbarth ni, felly dwi'n gobeithio y gwnei di ymdrech i gyd-dynnu ag o."

"Iawn," meddai Cochyn, gan swnio ychydig bach yn fwy brwdfrydig.

Roedd y myfyrwyr yn cael rhai gwersi bale clasurol ym Mhlas Dolwen, ond dawns fodern oedd yn cael y sylw pennaf o bell ffordd. Swniai'n debyg i Cochyn mai fo fyddai'r seren o hyd, ac efallai y medrai ddysgu un neu ddau o bethau gan y bachgen newydd.

"Dydi o ddim yn fachgen hyderus fel chdi," aeth Mr Penardos ymlaen. "Mae o'n eitha swil ac yn sicr bydd arno angen tipyn o help i setlo yma. Tybed hoffet ti ei helpu fo i ymgartrefu ac edrych ar ei ôl am dipyn?"

Goleuodd llygaid Cochyn. Swnai hynny'n hwyl! Byddai wrth ei fodd yn gofalu am y bachgen yma a dangos ble'r oedd popeth iddo. "Gwnaf wrth gwrs," cytunodd a'i feddwl ar garlam. Fyddai o fawr o dro yn gwneud i'r bachgen newydd deimlo'n gartrefol a byddai'n rhannu'i holl wybodaeth ynghylch yr athrawon mwyaf didaro a'r rhai roedd yn rhaid eu gwylio. Byddai bachgen newydd yn gynulleidfa i'w holl jôcs a'i giamocs! "Be ydi ei enw fo?" gofynnodd.

"Jack Cheung," meddai ei athro. "Mae o'n ddawnsiwr talentog, addawol iawn, ond fydd hi ddim yn hawdd iddo am ei fod o'n ymuno â ni bron ar ddiwedd y flwyddyn ysgol, ac yntau newydd ddod o wlad dramor. Bydd popeth yn ddieithr iddo. Wnei di ei gymryd o dan dy adain … heb fynd ag o ar gyfeiliorn?" ychwanegodd.

Gwenodd Cochyn. "Siŵr iawn!" cytunodd. "Bydd hi'n braf cael dawnsiwr go iawn arall. Dan ni'n griw mor fach."

"Da iawn," gwenodd Mr Penardos. "Ella bydd tipyn o gyfrifoldeb yn sobri tipyn arnat ti. Mae rhai o'r athrawon eraill yn cwyno dy fod ti'n mynd dros ben llestri bob hyn a hyn."

Ar ôl cael cawod, aeth Cochyn i'w ystafell. Roedd Dan yno eisoes efo'r ddau arall a rannai ei ystafell, y gitarwyr Ben ac Ed.

"Gest ti'r drefn gan Mr Penardos am chwarae'n wirion?" gofynnodd Dan.

Gwenodd Cochyn. "Naddo," meddai. "Dim ond gair bach yn 'y nghlust. Gair i gall, fel petai … Ges i newyddion diddorol ganddo fo hefyd."

"Be?" gofynnodd Ben.

"Mae 'na fachgen newydd yn dod yma," cyhoeddodd Cochyn. "Dawnsiwr arall. Mae Mr Penardos wedi gofyn i mi edrych ar ei ôl o a'i helpu i ymgartrefu."

"Mae o wedi colli blwyddyn bron!" meddai Ed. "Am amser rhyfedd i newid ysgol."

"Newydd ddod yma o Hong Kong mae o," eglurodd Cochyn i'w ffrindiau. "A'i rieni'n awyddus iddo setlo gynted â phosib."

"Petawn i'n ei le o," meddai Ed, "byddwn i wedi ceisio gwneud rhyw sgiam i gael ychydig wythnosau'n rhagor o wyliau a chychwyn yn yr ysgol y tymor nesa!"

"Ella ei fod o wedi gwneud ei orau, a'i rieni wedi gwrthod," meddai Cochyn, eisoes yn cadw cefn y bachgen.

" 'Sgwn i ym mha lofft fydd Mr Smith yn ei roi o?" meddai Ben. "Mae 'na wely gwag yn llofft Ravi, ac yn un Charlie, ar ôl i Rob adael."

"Stafell Ravi gobeithio," meddai Dan. "Gallai Charlie fod yn dipyn o niwsans i rywun newydd."

"Paid ti â phoeni," meddai Cochyn. "Bydd o'n iawn ble bynnag bydd o, efo fi yn edrych ar ei ôl o."

3. Y Bachgen Newydd

Fore trannoeth, galwodd Mr Smith ar Ravi a Cochyn i'w swyddfa ar ôl brecwast.

"Dyma Jack Cheung," meddai'r athro a ofalai am dŷ'r bechgyn, gan gyflwyno bachgen eiddil yr olwg a edrychai'n nerfus iawn. "Dwi'n rhoi Jack yn d'ystafell di, Ravi. Felly, fedri di ddangos iddo ble mae popeth a'i helpu i gael ei draed dano?" Yna trodd at Cochyn. "Mae Mr Penardos yn dweud y byddi di'n gofalu am Jack yn ystod y dydd," ychwanegodd.

"Dim problem," meddai Cochyn.

"Iawn," meddai Mr Smith. "Mae'n anodd dod i ysgol newydd ar ganol tymor, ond gwn i y byddwch chi i gyd yn croesawu Jack ac yn gwneud popeth i'w helpu i ymgartrefu."

Roedd yn rhaid i'r bechgyn frysio i'r cyfarfod

boreol, ac wedyn doedd dim amser i Jack gyfarfod ffrindiau Cochyn gan fod yn rhaid iddyn nhw fynd i'w dosbarthiadau cyntaf.

"Cei di gyfarfod pawb yn nes ymlaen," meddai Cochyn wrth Jack, yn teimlo'n bwysig iawn. "Ty'd 'laen – gwell inni hel ein traed. Dan ni ddim eisio bod yn hwyr yn y dosbarth dawns."

Fuon nhw fawr o dro yn newid i'r trowsusau llac a'r crysau T ar gyfer y wers. Roedd Mr Penardos yn aros amdanyn nhw yn y stiwdio. Dosbarth bychan oedd o. Dim ond pump o fyfyrwyr blwyddyn Cochyn oedd yn astudio dawns fel prif bwnc, ond roedd pob un yn gwbl ymroddedig.

"Croeso i'n grŵp ni, Jack," meddai Mr Penardos. "Dyma iti Martin, Elen, Megan ac Alys. Bydd Cochyn a Martin wrth eu bodd yn cael cwmni bachgen arall!"

Gwenodd Jack yn swil. Dangosodd Cochyn iddo ble i gadw ei liain cyn mynd ag o at y drych hir ym mhen draw'r ystafell.

"Mae'n debyg dy fod ti wedi arfer cynhesu cyn gwers?" gofynnodd Cochyn, fel roedd pawb yn dechrau eu hymarferion ymestyn.

Gwyliodd Jack Cochyn yn codi un fraich uwch ei ben yn ofalus ac yn defnyddio'i law arall i wthio'r fraich yn ôl dros ei ysgwydd. "Ydw," atebodd. "Dwi wedi arfer efo ymarferion tebyg, ond dydi'r rhain ddim yn union 'run fath â'r rheiny fydda i'n eu gwneud. Ga i gopïo dy ymarferion di? Mae'n debyg y bydda i'n medru eu gwneud nhw'n iawn cyn bo hir."

Gwenodd Cochyn. "Cei siŵr," meddai. "Cofia ofyn os wyt ti eisio gwybod rhywbeth."

"Mae gen i gwestiwn," meddai Jack y munud hwnnw.

"Cer 'laen," meddai Cochyn, yn barod i egluro manylion yr ymestyniad roedd o'n ei wneud.

"Gobeithio nad oes ots gen ti 'mod i'n gofyn," meddai Jack, ac yna petrusodd. "Pam wyt ti'n cael dy alw'n Cochyn?"

Chwarddodd Cochyn yn uchel. "Oherwydd fy ngwallt," eglurodd gan ysgwyd ei ben nes bod ei wallt hir, cyrliog yn chwifio'n wyllt. Collwyn ydi f'enw iawn i. Enw erchyll! Mae rhai o'r athrawon yn fy ngalw i'n Cochyn hyd yn oed, a dwi'n ei ddefnyddio fel enw llwyfan – Cochyn Sboncyn!"

"O! Dwi'n deall," meddai Jack gan wenu. "Mae o'n dy siwtio di!"

"Diolch!" meddai Cochyn, gan gymryd at Jack fwy bob munud.

Gwyliai Jack bob symudiad gan Cochyn, ac yn fuan roedd wedi meistroli ffyrdd arferol Mr Penardos o gynhesu'r corff cyn gwers. Unwaith roedden nhw wedi ymestyn eu cyhyrau, roedden nhw'n barod i barhau. Er eu bod nhw i gyd yn canolbwyntio'n galed ar gyfarwyddiadau Mr Penardos, edrychai Jack i gyfeiriad Cochyn bob hyn a hyn i wneud yn siŵr ei fod o'n dilyn yn iawn. I bob golwg roedd o'n ddiolchgar fod Cochyn wrth law, ac er bod Jack yn ddawnsiwr bale talentog, roedd ei ddiffyg gwybodaeth ynghylch dawns fodern yn gwneud i Cochyn deimlo'n eitha pwysig.

"Yn ystod y gwyliau hanner tymor, dwi eisio i chi i gyd greu dawns unigol," cyhoeddodd Mr Penardos ar ddiwedd y wers. "Dach chi wedi dysgu llawer yn ystod y flwyddyn aeth heibio a hoffwn i weld tybed fedrwch chi ddefnyddio'r cyfan." Edrychodd Mr

Penardos ar Cochyn. "Ella y medri di helpu tipyn ar Jack," awgrymodd. "Wn i mai newydd ddod aton ni wyt ti," ychwanegodd wrth Jack, "ond rho gynnig arni beth bynnag. Paid ag edrych mor bryderus! Nid arholiad ydi o!"

Tra oedd Jack yn nôl ei liain, cafodd Mr Penardos air bach efo Cochyn. "Fydd arno fo ddim angen cymaint o sylw unwaith y bydd o'n arfer efo'n dulliau ni o 'neud petha yma," meddai wrtho.

"O, does dim ots gen i," meddai Cochyn yn frwdfrydig. "Mae hyn fel cael brawd bach – yn lle'r holl chwiorydd sy dan 'y nhraed i gartre!"

"Iawn, felly!" chwarddodd Mr Penardos.

Pan gyrhaeddodd amser cinio aeth Cochyn â Jack draw i'r ystafell fwyta. "Mae'r salad bob amser yn dda," oedd ei gyngor i'r bachgen newydd, "ond paid â chyffwrdd y pasta."

Edrychodd Jack ar bryd poeth y diwrnod, ond cymerodd gyngor Cochyn a dewisodd salad caws yn ei le. Closiodd ffrindiau Cochyn yn nes at ei gilydd wrth y bwrdd i wneud lle i Jack. Doedd o ddim wedi cael cyfle i'w cyfarfod cyn hynny gan fod y bore wedi bod yn un prysur iawn.

"Erin, Llywela, Fflur a Ffion," meddai Cochyn, gan chwifio'i law i gyfeiriad y genethod. "A dwi'n rhannu stafell efo'r ddau yma – Ed a Ben."

"Wnest ti fwynhau dy ddosbarth dawns cynta?" gofynnodd Ffion. "Dan ni'n dwy wrth ein bodd yn dawnsio, ond canu ydi'n prif bwnc ni."

"Roedd o'n wych!" meddai Jack yn swil. "Mae Mr Penardos yn athro da, ond mae gen i gymaint i'w ddysgu. Dwi'n ffodus iawn fod Cochyn yn fy helpu. Mae o'n athro ardderchog hefyd."

"Waaw!" meddai Fflur gan wenu arno. "Paid â gwneud i ben Cochyn chwyddo mwy fyth!"

Gwridodd Jack. Ond roedd Cochyn wedi'i blesio gan ganmoliaeth Jack a gwenodd. "Wel," meddai'n ddihitio wrth Fflur. "Mae'n rhaid 'mod i'n medru egluro petha'n dda!"

"Hy!" wfftiodd Llywela. "Fel egluro'r cyfeiriadau map 'na i mi ar ôl imi golli gwers ddaearyddiaeth am fod fy ngwers gitâr fas wedi cymryd mwy o amser nag arfer?"

Roedd Cochyn wedi anghofio hynny. "Drysu tipyn bach wnes i!" protestiodd.

"*Tipyn bach?*" chwarddodd Erin. "Egluraist ti bopeth o chwith, felly fedrai Llywela druan ddim cael hyd i ddim byd ar y map!"

"O, wel," cytunodd Cochyn yn frysiog. Doedd o ddim eisiau i Jack glywed dim byd gwael amdano. "Mae'n siŵr na fyddi *di* byth yn gwneud cawlach o betha – fel rhoi'r cyfarwyddiadau anghywir i'r ferch torri gwallt?"

Am eiliad, bu tawelwch llethol. Roedd pawb wedi bod yn osgoi sôn am wallt Erin. Cafodd ei dorri yn ystod y gwyliau hanner tymor ac roedd hi'n amlwg i bawb ei bod hi'n casáu ei fod mor gwta. Roedd hi wedi dechrau gwisgo cap gweu er mwyn ei guddio, a doedd hwnnw ddim yn gweddu rhyw lawer iddi chwaith.

Agorodd Erin ei cheg, ac yna caeodd hi. Llanwodd ei llygaid â dagrau.

Roedd Cochyn eisiau ymddiheuro ond roedd creu argraff dda ar Jack yn bwysicach. "Paid â phoeni. Bydd o'n tyfu eto 'mhen chwinc," meddai wrthi'n llon wrth godi ei hambwrdd. "Ty'd 'laen," meddai wrth Jack. "Awn ni i gyfarfod rhagor o'r myfyrwyr."

Gwenodd Jack yn swil ar y lleill a dilynodd Cochyn at fwrdd arall.

"Charlie!" meddai Cochyn. "Gawn ni ddod atoch chi? Jack ydi hwn."

"Dwi ar gychwyn o'ma," meddai Charlie Owen wrthyn nhw. "Gwela i di ryw dro eto, Jack!"

"Mae Charlie'n meddwl ei fod o'n dipyn o foi," eglurodd Cochyn, "ond fydd o'n ddim problem iti. Ond os bydd o, cofia ddweud wrtha i'n syth. Fydda i fawr o dro yn rhoi trefn arno fo!"

"Diolch, Cochyn," meddai Jack yn werthfawrogol. Edrychodd dros ei ysgwydd ar ffrindiau Cochyn. "Ydyn nhw i gyd yn flin efo ti am ddweud hynna am wallt Erin?" holodd.

Dilynodd Cochyn ei edrychiad gan deimlo'n anghyfforddus braidd. Roedd o'n difaru pryfocio Erin. Roedd hi'n amlwg i bawb ei bod hi'n teimlo'n annifyr ynghylch ei gwallt, ond roedd Cochyn wedi hen arfer clywed pobl yn ei bryfocio fo ac yn tynnu ei goes oherwydd ei wallt cyrliog cynddeiriog fel nad oedd pethau tebyg yn poeni'r un iot arno fo bellach. Doedd bosib na fedrai Erin ddioddef ychydig o dynnu coes hefyd?

"Dôn' nhw atyn eu hunain cyn hir," meddai'n obeithiol. "Mae Erin yn un dda iawn am gymryd jôc fel arfer. Ella ei bod hi'n cael hen ddiwrnod annifyr … "

"Doedd dim genethod yn yr ysgol lle'r oeddwn i o'r blaen," meddai Jack wrtho. "A does gen i ddim chwiorydd. Mae'n debyg fod ysgol gymysg yn dy helpu di i ddeall genethod."

"Ymm ... ydi, mae'n debyg," meddai Cochyn, yn ofni'n ei galon iddo roi'i droed ynddi braidd. Ond os oedd Jack yn meddwl ei fod o wedi ymdopi â'r sefyllfa yn iawn, efallai nad oedd o wedi gwneud gymaint o lanast ag y tybiai? Ie, efallai mai Erin oedd yn bod yn hurt. Fyddai ymddiheuro ddim wedi helpu. Gwneud iddi anghofio neu ddweud jôc oedd orau, yntê?

Edrychodd Cochyn draw at y bwrdd drachefn a daliodd lygaid Fflur. Winciodd arni a hyrddio'i gyrls cochion i'r awyr. Dynwaredodd symudiadau siswrn â'i law, fel petai'n torri'i wallt ei hun i gyd i ffwrdd. Rhoddodd Fflur bwniad i Llywela a gwyliodd y ddwy Cochyn yn meimio'i arswyd at ei ben moel tybiedig ond wnaeth y genethod ddim chwerthin. Yn lle hynny, edrychodd y ddwy yn flin iawn arno a throi draw. Ochneidiodd Cochyn. Efallai y byddai'n well iddo gadw'n glir oddi wrth y genethod am dipyn. Ond doedd dim ots. Roedd gofalu am Jack yn llawer pwysicach ar hyn o bryd.

4. Ffrindiau

Gyda Jack yn holi ac yn stilio ynghylch Plas Dolwen, roedd Cochyn yn brysur iawn.

"Pwy ydi dy hoff athro di? Oes yna gosb os ydi gwaith cartref yn hwyr yn mynd i mewn? Dan ni'n cael cyfle i berfformio tu allan i'r ysgol?"

Roedd Cochyn yn fwy na bodlon sôn am y cyngerdd Sêr y Dyfodol ar derfyn y flwyddyn ysgol. "Rhaglen hanner awr yn unig ydi hi," eglurodd. "Felly dim ond y goreuon sy'n cael perfformio. Y myfyrwyr hynaf ydi'r rheiny fel arfer, wrth gwrs, ond mae pawb yn cael cyfle. Mae'r athrawon yn rhoi marciau drwy gydol y flwyddyn, a'r myfyrwyr yn cael pleidleisio i bwy bynnag fynnan nhw yng nghyngherddau'r ysgol. Dydyn nhw ddim yn penderfynu pwy sy'n cael perfformio tan ddiwedd y tymor yma. Dyna pam dwi wrth fy modd fod gen i gymaint o farciau.

Ella bydd gen i obaith cael dawnsio ar y teledu!"

* * *

Gwrandawai Jack yn astud ar bopeth ddywedai Cochyn wrtho bob dydd. Erbyn hyn, teimlai'n eithaf cartrefol, ond roedd o braidd yn swil o hyd. "Mae'n braf iawn dy gael di'n ffrind," meddai wrth Cochyn. "Doedd gen i ddim llawer o ffrindiau yn fy hen ysgol."

"Pam?" holodd Cochyn.

"Dim ond ysgol gyffredin oedd hi," cyfaddefodd Jack. "Unwaith y clywodd rhai o'r plant 'mod i'n mynd i wersi bale ar ôl 'rysgol, roedden nhw'n fy mhryfocio i'n ddidrugaredd ac yn gwneud 'y mywyd i'n boen. Doedd neb am fod yn ffrindiau efo fi wedyn."

"Mae hynna'n ofnadwy," meddai Cochyn. "Ond os wyt ti'n hoffi bale, pam doist ti i Blas Dolwen? Dylet ti fod wedi mynd i ysgol fale arbennig. Dan ni ddim yn dawnsio llawer o fale yma, dim ond y petha sylfaenol."

"Dwi awydd dysgu dawnsio modern," meddai Jack. "Chydig iawn o bobl sy'n llwyddo i gyrraedd y brig mewn bale clasurol, ond mae 'na lawer iawn mwy o gyfle gyda'r math o ddawnsio rwyt ti'n ei wneud. Dyna pam y dois i yma am glyweliad."

"Wel, does dim rhaid iti boeni. Fydd neb yn dy bryfocio ynghylch dy ddawnsio yn yr ysgol *yma*," meddai Cochyn wrtho.

Doedd Jack ddim fel petai mor sicr. "Wnei di ddim dweud wrth bawb 'mod i'n arfer astudio bale, na wnei?" crefodd. "Mae'n debyg na ddylwn i ddim bod wedi dweud wrthat ti."

"Wel, iawn," cytunodd Cochyn. "Ddweda i'r un gair os mai dyna sy orau gen ti."

Daliodd Jack ati i lynu fel gelen wrth Cochyn ac roedd Cochyn wrth ei fodd fod rhywun yn ei edmygu.

Byddai gweddill criw Cochyn wedi bod yn fodlon iawn bod yn ffrindiau efo Jack hefyd, ond doedd Jack ddim yn rhoi fawr o gyfle iddyn nhw gan ei fod o a Cochyn efo'i gilydd drwy'r adeg. Felly treuliai Cochyn lai o amser gyda'i hen ffrindiau. Pan

gyfarfu'r ddau Dan, Ed a Ben un pnawn ar ôl gwersi,
sylweddolodd Cochyn mai prin roedd o wedi torri
gair efo nhw yn ystod y dyddiau oedd wedi mynd
heibio.

"Hei!" meddai pan welodd nhw. "Be dach chi'ch tri
yn ei wneud?"

"Mynd i jamio i'r Adran Roc," meddai Dan wrtho.
"Ty'd efo ni. Gei di fod yn unawdydd os wyt ti eisio."

"Iawn,"cytunodd Cochyn. "Wyt ti am ddod, Jack?"

Petrusodd Jack. "Dwi ddim yn meddwl," meddai.
"Diolch, ond dwi ddim yn canu nac yn chwarae
offeryn chwaith. Byddai'n well imi fynd i ymarfer y
camau dawns 'na roedd Mr Penardos yn dweud y
dylwn i ganolbwyntio arnyn nhw."

"O, ie!" meddai Cochyn, yn taro'i law ar ei
dalcen. Roeddwn i wedi anghofio 'mod i wedi addo
eu hymarfer nhw efo ti. Mae'n ddrwg gen i."

"Mae'n iawn, siŵr!" meddai Jack. "Gei di eu
dangos nhw imi rywbryd eto."

Ysgydwodd Cochyn ei ben. "Na, mae Mr
Penardos eisio iti'u dysgu nhw ar unwaith er mwyn
iti gael mynd ymlaen at y grŵp nesa o gamau.

Byddai'n well i mi eu dangos nhw iti i ddechrau –
neu dim ond gwastraffu amser ymarfer fyddi di. Dof
i efo ti rŵan."

"Ond be am dy sesiwn jamio?" gofynnodd Jack.

"Does dim ots," meddai Dan. "Caiff Ed ganu. Dydi
o ddim cynddrwg â *hynny!*"

Chwarddodd Ed. "Diolch yn fawr!" meddai. "Mae
'na rai pobl yn meddwl fod gen i lais da, i ti gael
deall!"

"Mae'n ddrwg gen i, mêt," meddai Cochyn wrth
Dan. "Tro nesa, ella."

"Mae'n ddrwg gen i am hynna," meddai Jack,
unwaith roedden nhw wedi cael cefn Dan a'r lleill.

"Paid â phoeni," meddai Cochyn wrth gerdded
linc-di-lonc ar hyd y coridor. "Mae Dan a'r lleill yn
jamio'n aml. Medra i ymuno â nhw unrhyw adeg –
ac mae'n well gen i ddawnsio na chanu beth
bynnag!"

Pan gyrhaeddon nhw'r ystafell ymarfer,
dangosodd Cochyn i Jack sut i ddilyn y gyfres o
gamau. Gwyliodd Jack yn ofalus ac ymhen fawr o
dro medrai wneud popeth ei hun. Gwyliodd Cochyn

o'n ofalus.

"Ardderchog!" meddai, gan edmygu symudiadau llyfn, gosgeiddig Jack yn fawr. Roedd dylanwad ei hyfforddiant glasurol yn amlwg a sylweddolodd Cochyn y gallai ddysgu llawer o bethau hynod o ddefnyddiol gan ei ffrind newydd.

"Fedri di ddweud wrtha i be ydi hyn yn nhermau bale?" gofynnodd Cochyn. Cymerodd anadl ddofn a neidio'n uchel, gan droi yn yr awyr a glanio'n galed ar y llawr pren.

"Wel," meddai Jack yn feddylgar, "petai un o dy draed wedi'i phlygu at y pen-lin tra oeddet ti'n neidio, dwi'n meddwl y byddai'n cael ei alw'n *saut de basque*, ond dwi rioed wedi 'neud un. Mae dawnswyr bale yn glanio'n ysgafnach na hynna fel arfer hefyd."

Chwarddodd Cochyn. "Dwi'n hoffi dawnsio'n swnllyd," meddai. "Dyna pam dwi'n falch mai dim ond bale sylfaenol sy'n cael ei ddysgu yma. Wyt ti wedi gweld y grŵp o ddawnswyr proffesiynol sy'n dawnsio mewn welingtons? Ac mae 'na griw arall sy'n dyrnu ffyn, caeadau biniau a phob math o betha felly i gadw rhythm. Maen nhw'n gwneud digon o sŵn!"

Yn hwyrach o lawer, pan oedd pawb yn paratoi i fynd i'r gwely a Jack yn y llofft a rannai gyda Ravi a dau arall, gwrandawodd Cochyn ar ei ffrindiau'n sôn am y sesiwn jamio a gollodd y pnawn hwnnw. Teimlai braidd yn siomedig iddo golli'r cyfle oherwydd Jack, gan fod sesiynau jamio efo'i ffrindiau yn hwyl bob amser. Sylweddolodd nad oedd o ddim wedi gwneud dim byd ond dawnsio ers pan gyrhaeddodd Jack yr ysgol.

"Mae'n ddrwg gen i na fedrwn i ddod atoch chi," meddai.

"Popeth yn iawn," meddai Dan wrtho. "Paid â phoeni. Doedd o'n ddim byd pwysig."

"Rwyt ti wedi meddiannu Jack braidd, " meddai Ben wrth ddringo i'w wely a chydio mewn llyfr.

"Wel, mae o'n newydd yma," meddai Cochyn, "a Mr Penardos wedi gofyn imi edrych ar ei ôl."

"Ond mae o wedi bod yma ers tro erbyn hyn," meddai Ed. "Ddylai o ddim sefyll ar ei draed ei hun bellach?"

Cododd Cochyn ei ysgwyddau. "Dydi o ddim yn

un da iawn am wneud ffrindiau," meddai. "Mae o'n swil iawn."

"Wel, paid ag anghofio'r gweddill ohonon ni tra wyt ti'n cadw Jack dan d'aden," rhybuddiodd Ed.

Gwridodd Cochyn. "Dwi ddim yn ei gadw fo dan f'aden!" meddai'n bigog. "Caiff o siarad efo pwy bynnag mae o eisio!"

"Mae Erin â'i phen yn ei phlu o hyd ynghylch be ddwedaist ti wrthi hi," meddai Dan yn dawel. "Wn i nad oeddet ti'n bwriadu'i brifo hi, ond mae hi'n wirioneddol ddigalon ynghylch ei gwallt. Ddoe roedd hi'n cwyno ei fod o'n cymryd hydoedd i dyfu."

"Mae'r genethod fel petaen nhw wedi cymryd yn f'erbyn i ar y funud," cyfaddefodd Cochyn.

"Cadw cefn Erin maen nhw," eglurodd Dan. "Pam na siaradi di efo hi? Dwi'n siŵr y medret ti 'neud iddi deimlo'n well petaet ti'n trio."

"Iawn," cytunodd Cochyn. "Ddyliwn i ddim bod wedi'i phryfocio hi, na ddyliwn? Ond feddyliais i ddim am funud y byddai hi'n cymryd ati gymaint. Ga i air efo hi fory."

Yn y bore, penderfynodd Cochyn beidio aros am

Jack cyn mynd i gael brecwast. Roedd o eisiau ymddiheuro i Erin, ond doedd o ddim eisiau i Jack ei glywed yn gwneud hynny.

Yn ffodus i Cochyn, roedd y rhan fwyaf o'r genethod yn godwyr cynnar ac roedd Erin eisoes yn cael ei brecwast efo Llywela, Fflur a Ffion pan gyrhaeddodd i'r ystafell fwyta.

"Helo 'na!" meddai Cochyn, gan lithro i'r sedd gyferbyn ag Erin. Roedd hi'n gwisgo'i chap gweu yn dynn dros ei chlustiau a theimlai Cochyn yn euog am fod mor ddideimlad ynghylch ei gwallt.

Gwenodd Erin yn gynnil arno cyn troi draw, ond roedd gan Fflur fwy i'w ddweud. "Hei, Dan!" meddai'n siriol fel roedd o'n ymuno â nhw, gan anwybyddu Cochyn yn gyfan gwbl. Doedd hi ddim am wneud pethau'n hawdd iddo.

Plygodd Cochyn dros y bwrdd a chyffwrdd braich Erin. Edrychodd hithau arno. "Be wyt ti eisio?" gofynnodd yn gyndyn.

"Mae'n ddrwg gen i ynghylch y diwrnod o'r blaen," meddai Cochyn wrthi. "Do'n i ddim yn bwriadu brifo dy deimladau di. Dylwn i fod wedi meddwl sut ro'n i'n arfer casáu fy ngwallt."

" 'Rioed!" meddai Erin wrth edrych ar ei fop o wallt coch, crych, tanbaid. "Chdi o bawb?!"

"Wel," cyfaddefodd Cochyn, "dau ddewis oedd gen i – ei dderbyn o, neu bod yn ddigalon. Penderfynais i rai blynyddoedd yn ôl nad o'n i ddim eisio bod yn ddigalon, felly gadewais i 'ngwallt dyfu'n wylltach fyth. Dwi'n ei hoffi o erbyn hyn."

"Mae'n *gas* gen i f'un i ar y funud," meddai Erin, gan dynnu'r cap yn Is fyth dros ei chlustiau. "Dwedais i wrth y ferch 'mod i eisio gwallt cwta, ond dwi bron yn *foel*." Yna sibrydodd, "A 'nghlustiau i'n oer ofnadwy drwy'r adeg. Ych a fi."

"Wel, *bydd* dy wallt yn tyfu," sicrhaodd Cochyn hi yn llawn cydymdeimlad. "Ac mae capiau yn ffasiynol iawn ar y funud. Mae'n wir ddrwg gen i 'mod i wedi tynnu dy goes di. Ffrindiau?"

Nodiodd Erin. "Ffrindiau," cytunodd.

"Diolch byth!" Â'i law ar ei galon, rowliodd Cochyn ei lygaid.

Chwarddodd Erin. "Dwi'n falch ein bod ni'n ffrindiau eto," meddai. "Dydi petha ddim 'run fath heb dy glownio gwirion amser bwyd."

"Nac ydyn," cytunodd Ffion. "Roedd dy le di'n wag, Cochyn!"

Gwenodd Cochyn. I bob golwg, gan fod Erin wedi maddau iddo, roedd gweddill y genethod yn fodlon bod yn ffrindiau ag o eto.

"Dwi wedi bod yn brysur," meddai wrthyn nhw. "A wyddoch chi be? Dwi wedi bod yn dysgu ffyrdd newydd o neidio a llamu. Medra i wneud *saut de basque* hyd yn oed!"

"Be ar y ddaear ydi peth felly?" gofynnodd Fflur.

"Naid ddigon anodd mewn Ffrangeg," atebodd Cochyn yn ddihitio. "Mae rhai dawnswyr bale hynod dalentog yn methu gwneud *saut de basque!*"

"Pwy ar wyneb y ddaear sy wedi bod yn dysgu symudiadau bale iti?" chwarddodd Erin.

Roedd Cochyn ar fin egluro bod Jack yn ddawnsiwr bale, ond yna cafodd gip arno'n dod i mewn i'r ystafell fwyta a chofiodd nad oedd Jack yn awyddus i neb wybod hynny.

"Gwnes i hi'n reddfol!" meddai'n fawreddog. "Ac wedyn chwilio am yr enw yn y llyfrgell."

"Paid â dweud celwydd," chwarddodd Fflur. "Mae'n rhaid fod rhywun wedi dysgu termau bale i ti. Chreda i ddim dy fod ti wedi bod yn darllen amdanyn nhw!"

"Mae'n rhaid imi fynd," meddai Cochyn wrth y genethod. Roedd Jack yn dod tuag atyn nhw a doedd Cochyn ddim eisiau iddyn nhw ddyfalu mai fo oedd yr arbenigwr bale. "Ty'd 'laen, Jack," meddai'n bwysig braidd, cyn i hwnnw gael cyfle i roi ei hambwrdd ar y bwrdd. "Awn ni draw i fan'cw at y dawnswyr eraill."

Fel roedden nhw'n symud draw, chwarddodd y genethod dros y lle. Edrychodd Jack yn bryderus ar Cochyn. "Pam maen nhw'n chwerthin?" gofynnodd.

"Paid â phoeni. Dim byd i wneud efo ti," meddai Cochyn yn bendant. "Na finna chwaith," ychwanegodd yn ansicr. "Rwdlan maen nhw – rêl genethod, debyg."

5. Rhybudd Mr Penardos

Yn y dosbarth dawns cyffredinol nesa, roedd gan Mr Penardos rywbeth newydd i'w ddangos iddyn nhw.

"Bydd ar rai ohonoch chi angen canu a dawnsio ar yr un pryd pan fyddwch chi'n perfformio," meddai. "A bydd gofyn ichi wisgo meicroffon arbennig fel hwn." Dangosodd set fechan i'w gwisgo ar y pen ac edrychodd Cochyn ac Erin – a safai wrth ei ochr – ar ei gilydd yn llawn cyffro. "Faint ohonoch chi sy'n meddwl y byddwch chi'n canu ac yn dawnsio ar yr un pryd ar lwyfan yn y dyfodol?"

Cododd Fflur ei llaw, a Cochyn ac Erin hefyd. Gwnaeth amryw eraill o'r dosbarth yr un fath.

"Iawn," meddai Mr Penardos. "Dewch yn nes ata i. Cewch chi i gyd gyfle i wisgo hwn ond am rŵan rhown ni'r meic ar Cochyn i weld sut hwyl gaiff o. Efo meicroffon radio fel hwn, mae'n rhaid ichi wisgo batri yn ogystal â'r set ar y pen."

Helpodd Mr Penardos Cochyn i osod y meicroffon bychan bach yn ei le'n gyfforddus. Ar y dechrau roedd o'n deimlad rhyfedd i fod yn gwisgo'r set yn ei wallt hir, cyrliog. Doedd y batri ddim yn gymaint o niwsans. Ffitiai'n berffaith o amgylch ei ganol, yn sownd i'w drowsus.

"Iawn," meddai Mr Penardos pan oedd Cochyn barod. "Mae'r sŵn yn cael ei drosglwyddo i le arbennig, yn cael ei godi yno a'i chwyddo drwy gorn sain fel hwn yn fan'ma. Ar lwyfan, wrth gwrs, mae'r sŵn yn cael ei fwydo i mewn i'r ddesg gymysgu a'r peirianydd sain yn gofalu ei fod o'n dod allan ar y lefel gywir."

"Sut deimlad ydi o?" holodd Erin, ei llygaid yn disgleirio'n llawn cyffro.

"Gwych!" meddai Cochyn. "Mae'n gwneud imi deimlo'n broffesiynol iawn."

"Barod?" meddai Mr Penardos gan guro'i ddwylo. "Rhown ni gynnig arni rŵan. Cochyn, gei di ganu efo ni. Mi wna i droi'r sŵn dipyn yn is er mwyn inni gael dy glywed di. Gad inni weld sut hwyl gei di wrth ganu a dawnsio ar yr un pryd. Dwi'n gwybod mai meimio fydd llawer o berfformwyr wrth ddawnsio, ond mae'n dipyn gwell os medrwch chi wneud y ddau beth efo'i gilydd."

Ac i ffwrdd â nhw. Llifodd llais Cochyn drwy'r corn siarad bychan. Wrth gwrs, roedden nhw i gyd wedi canu wrth ddawnsio yn ddigon aml pan oedden nhw'n cael hwyl, ond roedd hyn yn wahanol. Roedd hi'n straen oherwydd gwyddai Cochyn fod pawb yn gwrando ar ei lais. Roedd yn rhaid iddo ganolbwyntio'n galed ar anadlu gan fod y dawnsio'n bygwth gwneud iddo swnio'n fyr o wynt.

Wedi iddo orffen, curodd pawb eu dwylo. "Da iawn," meddai Mr Penardos. "Gwnest ti'n dda iawn. Byddi di'n dod hyd yn oed yn well wrth ymarfer. Mae canu a dawnsio gyda'i gilydd yn grefft ynddi'i hun, ond mae'n grefft bwysig i unrhyw berfformiwr ei meistroli."

"Roedd o'n edrych yn ddifrifol iawn pan oedd o'n dawnsio," meddai Fflur. "Welais i 'rioed Cochyn yn edrych mor sobor o'r blaen!"

"Dyna be mae canolbwyntio yn ei wneud," meddai Mr Penardos gan wenu. "Ond rwyt ti'n iawn, Fflur. Roedd Cochyn yn canu ac yn dawnsio cân hapus efo wyneb difrifol. Mae mynegiant yn rhywbeth arall i'w feistroli. Mae'n rhaid ichi fedru mynegi teimlad y gân nid yn unig drwy eich llais a'ch wyneb, ond gyda'ch corff i gyd hefyd."

"Llwyth o betha i'w gwneud efo'i gilydd," ochneidiodd Erin.

"Wrth gwrs," cytunodd Mr Penardos. "Ac mae'n bwysig peidio gorwneud petha, ond mae osgo pobl yn newid pan fyddan nhw'n teimlo'n wahanol. Beth am inni weld sut byddech chi'n symud petaech chi'n teimlo'n drist. Wedyn gewch chi roi cynnig ar bob teimlad gwahanol arall y medrwch chi feddwl amdanyn nhw."

Pan ddechreuodd Cochyn ddangos hapusrwydd, gwnaeth birwét fel y gwnâi'n aml pan deimlai ei fod ar ben ei ddigon. Ond y tro hwn doedd o ddim yn canolbwyntio a syrthiodd yn bendramwnwgl i'r llawr. Chwarddodd pawb.

"Anghofio edrych i un lle yn unig wnest ti,"

meddai Mr Penardos fel y codai ar ei draed. "Dylet ti o bawb fedru gwneud hynny. Paid ag anghofio mai dy ben di ddylai symud olaf a chyrraedd gyntaf. Cadw dy lygaid ar un lle yn union o dy flaen neu byddi'n syrthio eto. Jack, fedri di wneud pirwét?"

"Medraf," atebodd Jack yn dawel.

"Gwna un neu ddau," meddai Mr Penardos, "i ddangos i Cochyn."

Bu'n rhaid i Cochyn sefyll yn yr unfan i wylio Jack yn gwneud cyfres o droadau perffaith. Roedd hyfforddiant bale Jack wedi ei ddysgu sut i gadw cydbwysedd gwych. Gwnâi i'r symudiadau edrych yn hawdd iawn.

"Ardderchog!" canmolodd Erin wedi i Jack orffen. "Roedd o'n edrych gymaint *o ddifri,* rywfodd. Pan fydd Cochyn yn gwneud troadau fel'na, maen nhw'n edrych yn ddoniol."

"Mae'n dibynnu ar y *teimlad,*" meddai Cochyn wrthi'n gyflym.

Chwarddodd Mr Penardos. "Ydi," cytunodd, "ac mae Cochyn yn dda iawn am fod yn ddoniol pan fydd o'n dawnsio. Ond rho'r gorau i symud yn ddiofal," ychwanegodd wrth Cochyn. "Dwi wedi dy weld di'n chwarae'n wirion yn y coridor. Dwyt ti ddim eisio brifo, nac wyt?"

Ysgydwodd Cochyn ei ben. Doedd o ddim yn hoffi clywed Mr Penardos yn dweud y drefn wrtho o flaen Jack.

"Iawn," meddai Mr Penardos. "Ewch i gael cawod cyn mynd i'ch gwers nesa. I ffwrdd â chi." Cydiodd yn yr offer a roddwyd o'r neilltu a throdd draw.

Daeth Dan at Cochyn yn y cawodydd. "Roedd o'n iawn ynghylch cadw reiat rhwng gwersi," meddai. "Paid, Cochyn, rhag iti golli dy le yn y cyngerdd. Byddai hynny'n sobor."

"Trychineb," cytunodd Jack yn ddifrifol.

Ond doedd Cochyn ddim am wrando ar yr un o'r ddau. I ddechrau, doedd o ddim yn fodlon fod Jack wedi cael mwy o sylw nag o. Fel arfer doedd dim ots ganddo ddisgyn. Byddai'n gwneud jôc o'r peth. Ond gyda Jack yno i ddangos sut roedd gwneud pirwét yn *gywir*, teimlai Cochyn braidd yn hurt. Roedd yn gas ganddo glywed Dan yn ei rybuddio ynghylch y cyngerdd Sêr y Dyfodol hefyd.

"Wn i'n *iawn* be dwi'n ei wneud," meddai wrth y ddau. "Mae arna i *angen* ymarfer drwy'r adeg. Ac rwyt ti'n defnyddio dy ffyn drymio ym mhobman," ychwanegodd wrth Dan. "Dwi wedi dy weld di! Ar waliau, ar dy benliniau, ar fyrddau … ond does neb yn dweud na chei di mo'u defnyddio nhw heb ddrymiau!"

Agorodd Dan ei geg ac yna'i chau heb ddweud yr un gair. Gwyddai Cochyn yn iawn nad oedd y gymhariaeth rhwng dawnsiwr a drymiwr yn dal dŵr. Wedi'r cyfan, allai neb ddadlau fod drymio Dan ar waliau yn beryglus. Ond doedd Cochyn ddim am roi'r gorau i neidio a sboncio drwy'r dydd crwn. Dyna'i ffordd o. Cafodd ei eni â sbrings yn ei draed a doedd o ddim eisiau cerdded yn gall o le i le. Pam *dylai* o roi'r gorau i wneud campau? Dawnsio o fore gwyn tan nos, drwy'r dydd, bob dydd, dyna oedd o am ei wneud. Dawnsio ym *mhobman* – nid mewn stiwdio ddawns a pherfformiadau yn unig. Gwnâi unrhyw le y tro iddo. Waeth be ddywedai 'run ohonyn nhw, dyna fyddai o'n ei wneud!

6. Callio

Beth bynnag oedd syniadau Cochyn ynghylch dawnsio, roedd yn rhaid rhoi'r gorau i gadw reiat rhwng gwersi am ychydig. Mynnai Mrs Prydderch a'r athrawon eraill ei fod yn canolbwyntio er mwyn gwella safon ei waith academaidd, a fedrai o ddim eu hanwybyddu ragor. Doedd bod yn gall ddim yn hawdd, a byddai wedi bod yn fwy o hwyl o lawer i ddal ati i glownio, ond gwyddai Cochyn yn dda y byddai'n rhaid iddo fynd i weld y pennaeth os na fyddai'n gwneud mwy o ymdrech. Gallai Mrs Powell godi gwallt pen rhywun a doedd Cochyn ddim am fentro cael pryd o dafod ganddi hi.

Felly ymdrechodd yn galetach yn y dosbarth, a dechreuodd hefyd weithio o ddifri ar ei waith dawns ar gyfer Mr Penardos. Roedd wedi dewis darn jazz gwych ar gyfer ei ddawns, ac wedi penderfynu dehongli pob offeryn yn ei dro. Gwyddai'n barod mai un o'i hoff ddarnau fyddai'r piano. Roedd o am bortreadu'i hun yn rhedeg i lawr yr allweddell ac yn dewis nodau unigol. Roedd tipyn o waith meddwl i gynllunio'i gamau'n ofalus ac roedd Cochyn hefyd yn helpu Jack gyda'i ddawns o, yn rhannu'i wybodaeth i gyd, er bod Jack yn holi llawer llai arno fel roedd o'n dod i arfer â'r ysgol a dawnsio modern yn dod yn haws iddo.

Teimlai Cochyn fel ffrwydro am ei fod o'n ymdrechu gymaint. Felly rhwng gwersi roedd yn rhaid iddo ollwng stêm. Dechreuodd ymddwyn yn waeth fyth. Gan gofio beth roedd o wedi'i ddarllen ynghylch dawnswyr stryd yn defnyddio cardfwrdd i gael gwell arwynebedd dawnsio, gofynnodd Cochyn am focs cardfwrdd o'r gegin ac yn ystod amseroedd egwyl, dyna lle byddai o, yn unrhyw le, yn perffeithio troelliadau ar ei ysgwyddau, ei gefn a hyd yn oed ei ben!

Rhoddodd amryw o'r myfyrwyr eraill gynnig arni, ond doedd neb arall yn yr un cae ag o. Doedd o ddim yn esgeuluso ymarfer neidio chwaith. Roedd o eisiau ymgorffori dawnsio stryd a bale i'w ddull rhydd o ddawnsio, felly roedd o byth a hefyd yn dychryn y myfyrwyr eraill am eu hoedl wrth neidio a sboncio yn y mannau mwyaf annisgwyl. Roedd o eisiau i'w sioe fod yn berffaith wreiddiol, a chynlluniai gynnwys ambell lam uchel wirioneddol anodd. Byddai'n rhaid ymarfer llawer iawn i'w gwneud nhw'n iawn. Efallai, petai ei sioe yn ddigon da, y byddai o wir yn dawnsio ar y teledu!

Un diwrnod, wrth ruthro ar hyd y corldor ar ei ffordd i gael cinio hwyr iawn ar ôl treulio gormod o amser yn ymarfer troi wysg ei gefn ar y lawnt, daeth wyneb yn wyneb ag Erin. "Dof i i sgwrsio efo chdi tra byddi di'n bwyta. Mae pawb arall wedi gorffen ac wedi mynd allan i fwynhau'r haul," meddai hi wrtho."

"Roeddwn i'n gwylio Jack yn dawnsio bore 'ma," meddai Erin pan ymunodd Cochyn â hi wrth y bwrdd gyda salad mawr a diod o lefrith ar ei hambwrdd. "Roedd o'n ymarfer yn y stiwdio ddawns fach ac roeddwn i'n gwylio drwy'r ffenest. Mae o'n dda iawn, yn tydi?"

"Mae o'n weddol, am wn i." Doedd Cochyn ddim

yn siŵr a oedd o'n hoffi clywed Jack yn cael ei ganmol. Roedd o wedi arfer cael cymaint o ganmoliaeth ei hun. "Mae ar Jack angen cryfhau ei symudiadau," meddai wrth Erin. "Dwi'n dweud a dweud wrtho am roi cynnig ar godi pwysau, ond wnaiff o ddim. Sut medra i ei helpu os nad ydi o'n gwrando arna i?"

Chwarddodd Erin. "Dwi'n meddwl ei fod o wedi bod yn amyneddgar iawn yn gwrando cymaint arnat ti," meddai wrtho. "Sut mae dy ddawns di'n dod yn ei blaen?"

"Gwych! Mae'n andros o hwyl," meddai Cochyn. "Ond dwi eisio iddi fod yn berffaith wreiddiol, er mwyn i Mr Penardos gael gweld cymaint o ymdrech dwi'n ei wneud."

"Wel, dwi'n meddwl y bydd Jack yn dipyn o gystadleuaeth," meddai Erin. "Mae ei ddawnsio fo'n wahanol i unrhyw beth dwi wedi'i weld ym Mhlas Dolwen. Mae o mor urddasol, fel cymysgedd o fale a dawns fodern."

Ysgydwodd Cochyn ei ben. "Dydi bod yn rhy debyg i fale yn dda i ddim," meddai wrthi, gan deimlo'n fwy pigog bob munud am ei bod hi'n canmol dawnsio Jack.

"Pam?" holodd hithau.

Crafodd Cochyn am ateb. "Oherwydd ... oherwydd bydd o'n cael ei bryfocio," meddai.

"Callia!" chwarddodd Erin. "Roedd o'n dawnsio'n wych. Dim ots pa fath o ddawnsio ydi o, fydd neb yma'n chwerthin ar berfformiad da." Edrychodd ar wyneb blin Cochyn yn fanylach. "Dwyt ti o bawb 'rioed yn wenwynllyd, Cochyn Sboncyn?" gofynnodd.

"Nac ydw siŵr iawn!" meddai Cochyn. "Be wnaeth iti feddwl hynny?"

"Paid â phoeni," meddai Erin. "Dydi o ddim wedi bod yma'n ddigon hir i gael ei ddewis ar gyfer y cyngerdd Sêr y Dyfodol *y tro yma*. Beth bynnag, mae'n rhaid imi fynd. Wela i di."

Syllodd Cochyn ar gefn Erin fel roedd hi'n symud rhwng y byrddau a cherdded allan o'r ystafell fwyta. Jack? Cyngerdd Sêr y Dyfodol? Beth oedd yn bod ar Erin? Roedd Cochyn wedi bod yn rhoi llawer o gynghorion i Jack, ond doedd o ddim wedi bod yn sylwi ar beth roedd y dawnsiwr arall yn gallu'i wneud. Roedd Mr Penardos wedi dweud fod Jack yn wirioneddol dalentog, ond yn gyfleus iawn roedd Cochyn wedi anghofio hyn tra oedd yn cynghori ac yn dweud wrth Jack beth i'w wneud drwy'r adeg.

"Mae'n rhaid imi sylwi mwy ar be yn hollol mae o'n ei wneud," meddai Cochyn wrtho'i hun wrth orffen bwyta'i ginio. Teimlai'n chwithig rŵan ei fod wedi bod mor awyddus i gynghori, a heb drafferthu meddwl beth fedrai o ei hun ddysgu. Mae'n debyg y gallai Jack ei helpu gyda llawer o bethau eraill heblaw ambell derm bale.

Ond gwyddai Cochyn na fedrai o byth ofyn am gymorth Jack. Dawnsiwr gorau'r dosbarth yn cael help gan fachgen newydd? Byth bythoedd! Byddai'n rhaid iddo wylio Jack yn ddistaw a dysgu ganddo ar y slei.

Ac os oedd Erin yn meddwl ei fod o mor wych â hynny, byddai'n rhaid i Cochyn ofalu fod ei ddawns yn rhywbeth gwirioneddol *arbennig* rhag ofn i bawb ddweud mai rhywun arall oedd y dawnsiwr gorau. Wnâi hynny mor'r tro *o gwbl!*

"FI ydi'r gorau un!" meddai Cochyn wrtho'i hun wrth fynd i'r wers nesa, "Ac mae'n rhaid imi ofalu mai fi *fydd* o hefyd!"

7. Dysgu Ambell Beth

Ar ôl te, gwyliodd Cochyn Jack yn ymarfer. Roedd Erin yn iawn. Dawnsiai'n dda ac yn wahanol iawn i bawb arall. Doedd Cochyn ddim wir yn wenwynllyd. Doedd o ddim yn un i deimlo'n eiddigeddus o fywydau pobl eraill. Roedd yn well ganddo wneud y gorau o'i fywyd ei hun. Ond *roedd* o'n poeni. Sylweddolodd iddo fod yn rhy hunanfodlon tra oedd Jack fel sbwng yn amsugno gwybodaeth. Er mwyn aros ar y blaen, roedd yn rhaid iddo yntau ddysgu ambell beth.

Yn awr, gan ei fod yn sylwi o ddifri ar alluoedd Jack, gwelai Cochyn fod Jack, tra oedd o'n gwrando'n gwrtais ar holl gynghorion Cochyn, wedi bod yn ddigon call i ddefnyddio dim ond y darnau fyddai o fudd iddo fo. Petai Cochyn yn un i wrido, byddai ei wyneb yn fflamgoch!

Ond, yn lle cywilyddio, dechreuodd Cochyn feddwl yn ofalus. Efallai y gallai ddysgu gan Jack heb gymryd arno ei fod yn gwneud hynny. Hoffai neidio'n uchel wrth ddawnsio ac roedd arno eisiau cynnwys naid neu ddwy a oedd yn wirioneddol drawiadol yn ei ddawns. Doedd Jack ddim yn rhy hoff o neidio'n uchel, ond gwyddai sut i wneud hynny'n iawn. Dim ond ei holi, a châi Cochyn wybod. Petai'n medru plethu ychydig o lamau clasurol manwl gywir yn ei sioe jazz arferol, byddai'n sicr o wneud argraff dda ar Mr Penardos, meddyliodd Cochyn yn glyfar i gyd. Byddai'r gerddoriaeth roedd o wedi'i dewis yn berffaith. Dychmygai Cochyn ei hun yn hedfan o'i ddawns biano i'w bortread o'r bas dwbl ac yna i ddehongli'r sacsoffon.

Ond roedd hi'n mynd yn hwyr a chyn bo hir byddai'n amser gwneud gwaith cartref. Byddai'n rhaid aros tan drannoeth cyn y medrai ddechrau ar ei gynllun.

* * *

"Hei, Jack! Ga i air bach?" gofynnodd Cochyn yn syth ar ôl brecwast drannoeth, fel roedd pawb yn hel eu pethau at ei gilydd ar gyfer gwers gynta'r diwrnod. Nid dyma'r amser gorau i holi ynghylch dawnsio, oherwydd roedd yn rhaid iddyn nhw fynd i wers mathemateg, ond roedd Cochyn yn dyheu am gael dechrau ar ei syniad.

"Wrth gwrs!" cytunodd Jack.

"Wyddost ti'r naid honno wnes i dro'n ôl, a chditha'n dweud be oedd ei henw iawn?"

"Ie?" atebodd Jack, yn edrych braidd yn ddryslyd.

"Fedra i ddim cofio be wyt ti i fod i'w wneud efo dy goesau," meddai Cochyn wrtho.

"Dim ots," atebodd Jack. "Roedd dy naid di'n wych."

"Oedd, wn i," cytunodd Cochyn yn ddidaro. "Ond fedra i ddim cofio be ddwedaist ti, ac mae hynny wedi bod ar fy meddwl i."

Cydiodd Jack yn ei fag a'i roi dros ei ysgwydd. Edrychai'n falch o gael ei holi ynghylch ei wybodaeth arbenigol. "Dwi ddim yn dda iawn am neidio'n uchel," meddai, "Ond wn i sut maen nhw i fod i edrych. Dangosa i iti amser cinio, os wyt ti awydd. Medrwn ni roi cynnig arni yn y stiwdio ddawns fach cyn gwersi'r pnawn."

"Does dim rhaid iti *ddangos* imi," meddai Cochyn. "Eglura i mi ac fe wna i un rŵan. Gei di ddweud ydi hi'n iawn ai peidio. Dwi wedi bod yn meddwl am y naid yna drwy'r nos a dwi ar dân eisio gwneud un."

Ochneidiodd Jack. "Mae un droed iti i fod i gael ei chodi at y pen-lin arall ar gyfer *saut de basque* glasurol," meddai wrtho. "Ond dwyt ti ddim am wneud un yma, nac wyt?"

"Ydw siŵr iawn," meddai Cochyn, gan wthio bwrdd o'r neilltu i wneud lle gwag.

"Ond ... "

Roedd hi'n rhy hwyr. Roedd Cochyn eisoes wedi neidio. Trodd amryw o'r myfyrwyr i'w wylio. Roedd gweld Cochyn yn prancio o gwmpas ac yn cadw reiat yn hwyl bob amser. Chwibanodd amryw pan laniodd yn berffaith. Trodd Cochyn at Jack yn fuddugoliaethus. "Sut oedd hynna?"

Nodiodd Jack. "Ddim yn ddrwg o gwbl."

"Ond nid yn berffaith?" mynnodd Cochyn.

"Wel, dylai dy droed di fod chydig nes at dy ben-lin," eglurodd Jack. "Ond paid â gwneud un arall yma, Cochyn." Symudodd i rwystro Cochyn rhag neidio, ond gwthiodd Cochyn o draw.

"Iawn!" Cymerodd Cochyn anadl ddofn cyn neidio drachefn. Y tro hwn, perfformiwyd y naid yn berffaith. Edrychodd ar Jack yn gyffro i gyd, yn fuddugoliaethus, ond fel roedd ei draed yn taro'r llawr, llithrodd yn drychinebus. Methodd gadw'i gydbwysedd a glaniodd yn galed ynghanol môr o fagiau a thraed, gan orffen ei berfformiad ar ei hyd o dan fwrdd.

Eiliad o dawelwch. Roedd pawb yn syfrdan. Yna, dechreuodd pawb chwerthin.

"Pwy ond Cochyn?" gwenodd Fflur.

"Cadw reiat fel arfer!" cytunodd Ed.

"Sôn am ddangos ei hun!" ychwanegodd Llywela gan blethu ei breichiau ac edrych i lawr ei thrwyn ar y dawnsiwr ar ei hyd ar y llawr.

"Wyt ti'n iawn?" gofynnodd Erin, yn chwerthin o hyd. "Wyt ti angen help llaw?"

"Helpa i di i godi," cynigodd Dan, gan estyn llaw i helpu ei ffrind godi ar ei draed.

"Paid!" gwaeddodd Cochyn a'i lais uchel yn llawn ofn. "Paid â 'nghyffwrdd i!"

"Be sy'n bod?" gofynnodd Erin.

Syllai Cochyn yn wyllt ar Dan, ei wyneb ofnus yn wyn fel y galchen ac yn llawn poen. Roedd ei goes wedi'i phlygu'n gam oddi tano.

"Mae o wedi brifo!" meddai Jack. "Peidiwch â'i symud o rhag Ichl wneud petha'n waeth."

"Ewch i nôl Nyrs Morgan!" gwaeddodd Dan. "Dywedwch wrthi fod Cochyn wedi brifo'i goes! Dos, Erin. Brysia!"

Rhedodd Erin nerth ei thraed ac aeth Ffion efo hi. Gwnaeth Dan i bawb arall symud yn ôl er mwyn i Cochyn gael rhagor o le. Yn ofalus iawn, tynnodd Ben ac yntau y bwrdd draw oddi wrth y dawnsiwr ar y llawr. Gorweddai Cochyn yn swp bychan diymadferth ar lawr yr ystafell fwyta tra safai pawb arall yn syllu arno'n bryderus. Doedd o ddim am feiddio symud rhag ofn iddo waethygu pethau. Roedd ei goes yn brifo'n ofnadwy. Gwyddai na fedrai sefyll arni. Pam na fyddai Jack wedi cadw'i eglurhad nes eu bod nhw yn rhywle arall? Arno fo roedd y bai fod Cochyn wedi brifo!

Aeth Dan i lawr ar ei gwrcwd wrth ochr ei ffrind i gadw cwmni iddo. "Fydd Nyrs Morgan ddim yn hir," meddai. "Paid â phoeni. Aros yn llonydd."

Ond roedd wyneb Cochyn yn llawn poen. "Mae arna i ofn," sibrydodd wrth Dan. "Beth petawn i wedi brifo'n ddrwg? Beth petai hwn yn anaf difrifol?"

8. Newydd Drwg i Cochyn

Cyrhaeddodd Nyrs Morgan yr ystafell fwyta o ysbyty'r ysgol yn fuan iawn. Penliniodd wrth ochr Cochyn a'i holi'n fanwl ynghylch beth yn union oedd wedi digwydd.

"Mae'n siŵr mai wedi sigo dy goes yn ddrwg wyt ti," meddai hi wrtho wedi iddo egluro'n union sut roedd o wedi syrthio. "Ond dylet ti gael tynnu llun pelydr X i 'neud yn siŵr. Wyt ti wedi brifo rhywle arall?"

Ysgydwodd Cochyn ei ben.

"Iawn," meddai'r nyrs. "Paid â phoeni. Dwi'n mynd i alw am ambiwlans. Wiw inni fentro gwneud petha'n waeth drwy fynd â chdi i'r ysbyty ein hunain. Gwna dy orau i gadw'r goes yn llonydd nes dôn' nhw."

"Fydda i'n medru dawnsio eto'n fuan?" gofynnodd Cochyn yn bryderus.

"Wel, byddi wir, gobeithio!" meddai'r nyrs gan wenu arno. "Rhowch dipyn o lonydd iddo fo wir," ychwanegodd, gan godi'i llais wrth siarad â gweddill y myfyrwyr. "I ffwrdd â chi! Does dim byd i'w weld. Ewch i'ch gwersi." Yna gofynnodd yn dawel i Cochyn, "Hoffet ti i rywun aros yn gwmni i ti?"

Nodiodd.

"Be ydi dy enw di?" gofynnodd i Jack a oedd yn sefyll yn bryderus y tu ôl i Cochyn. "Wnei di aros efo dy ffrind?"

"Wrth gwrs," atebodd Jack.

Ysgydwodd Cochyn ei ben yn wyllt. "Na!" gwaeddodd. "Dwi'm eisio i Jack aros. Arno fo mae'r bai 'mod i wedi brifo! Ble mae Dan?"

Gwelwodd wyneb Jack. Edrychai bron cyn wynned â wyneb Cochyn. Yna, wedi petruso am eiliad yn unig, trodd ar ei sawdl ac aeth allan o'r ystafell.

Cyn bo hir cyrhaeddodd yr ambiwlans. Cododd y parafeddygon Cochyn yn ofalus ar wely arbennig i'w gario i'r ambiwlans.

"Byddai'n well iti fynd i dy wers rŵan," meddai'r

nyrs wrth Dan pan oedd Cochyn yn ddiogel yn yr ambiwlans. "Af i i'r ysbyty efo fo. Paid ti â phoeni – caiff y gofal gorau posib yno. Fyddwn ni fawr o dro yn cael trefn arno fo."

Bu Cochyn yn yr adran ddamweiniau am hydoedd cyn i rywun ddod i'w weld. Ond o'r diwedd daeth meddyg cyfeillgar i edrych ar ei goes boenus. Ymdrechodd Cochyn i beidio sgrechian wrth iddi symud ei goes yn ofalus, ond roedd hi'n brifo'n ofnadwy, a'i ben-lin yn chwyddo mwy bob munud.

"Tynnwn ni lun pelydr X," meddai'r meddyg wrtho, "ond dwi'n meddwl dy fod ti wedi rhwygo gewyn yn dy ben-lin. Dawnsiwr wyt ti, yntê?"

"Ie," meddai Cochyn yn bryderus. "Fydda i'n medru dawnsio eto'n fuan? Mae'n rhaid imi ymarfer ar gyfer cyngerdd pwysig iawn ymhen ychydig wythnosa."

Ysgydwodd y meddyg ei phen. "Mae'n ddrwg gen i," meddai. "Bydd yn rhaid iti anghofio popeth am berfformio am dipyn. Gall gewynnau gymryd amser hir i wella. Y peth gorau fedri di ei wneud er mwyn gwella'n iawn ydi peidio â rhoi dim pwysau ar

dy goes am dipyn go lew. Yna byddi angen
ffisiotherapi i gael dy ewynnau'n ôl i weithio'n iawn.
Os wyt ti am fod yn ddawnsiwr proffesiynol, mae'n
rhaid iti roi cyfle i'r gewyn yma wella'n berffaith. Os
na wnei di, mae peryg iddo ddigwydd eto a bygwth
difetha dy yrfa."

"Ydi o'n *debygol* o ddigwydd eto?" gofynnodd
Cochyn, gan ymdrechu'n galed i beidio crio. Sut
medrai o ddawnsio yn y cyngerdd Sêr y Dyfodol os
na fedrai o ymarfer?

"Mae pob niwed yn gadael gwendid ar ei ôl,"
eglurodd y meddyg. "Ond rwyt ti'n ifanc. Gyda
chydig o lwc, chei di ddim problemau yn y dyfodol.
Ella y byddai'n well rhoi'r goes mewn plaster am
dipyn, ond gawn ni weld beth fydd y llun pelydr X yn
ei ddangos cyn penderfynu."

Roedd Cochyn wedi dychryn am ei fywyd. Roedd
o wedi bod yn poeni ynghylch y cyngerdd Sêr y
Dyfodol, ond efallai y byddai ganddo wendid yn ei
ben-lin am byth oherwydd un naid loerig. Sut y
gallai o fod wedi bod mor wirion â pheryglu ei yrfa
fel hyn?

Aed â Cochyn i'r adran pelydr X mewn cadair olwyn, ac yna bu'n rhaid iddo aros i'r meddyg benderfynu'n derfynol.

"Wel, y newydd da ydi nad wyt ti ddim wedi torri asgwrn, beth bynnag," meddai'r meddyg wrtho'n siriol. "Y gewyn ar ochr dy ben-lin ydi'r drwg." Edrychodd yn chwyrn ar Cochyn. "Dwi am roi baglau iti, a rhoi rhwymyn lastig cryf iawn am dy ben-lin. Mae'n rhaid iti addo na wnei di ddim rhoi pwysau o gwbl ar dy goes am y pythefnos nesa o leiaf."

Nodiodd Cochyn. Fe wnâi o *unrhyw beth* i helpu'i ben-lin i wella'n iawn.

"Iawn, felly," meddai hi. "Dyna wnawn ni. Bydd yn rhaid iti gadw'r goes 'ma ar i fyny gyhyd ag sy bosib. Bydd staff ysbyty'r ysgol yn siŵr o gadw llygad barcud arnat ti."

Edrychodd ar Nyrs Morgan. "Dewch â fo'n ôl inni gael ailedrych ar ei ben-lin ymhen pythefnos," meddai. "Os byddwch chi'n bryderus yn ei gylch yn y cyfamser, ewch ag o at ei feddyg ei hun. Y peth pwysicaf ydi ceisio osgoi gwendid parhaol drwy adael i'r gewyn wella'n iawn. Rhowch rywbeth oer ar ei ben-lin er mwyn lleddfu'r chŵydd. Paced o bys wedi'u rhewi sy'n dda at hynny – wedi ei lapio mewn lliain, nid yn syth ar y croen. Ond dwi'n siŵr eich bod chi'n gwybod hynny'n barod."

Nodiodd y nyrs. "Dwi'n cadw un neu ddau o bacedi rhew wrth law bob amser," meddai. "Ond roedd arna i ofn fod hyn yn fwy difrifol."

"Ac roeddech chi'n iawn," cytunodd y meddyg. "Mae o'n hen anaf cas, ond bydd y goes yn gwella'n dda gobeithio." Yna edrychodd ar Cochyn. "Beth bynnag wnei di, paid â throi dy ben-lin tra bydd hi'n gwella," rhybuddiodd. "Gwneud petha'n waeth fyddai hynny. Ond paid â phoeni gormod chwaith," ychwanegodd. "Mae'n debyg y byddi di'n dawnsio eto y tymor nesa – dim ond iti gymryd gofal."

Ymdrechodd Cochyn i ddiolch iddi ac i wenu, ond trodd ei wefusau am i lawr a bu bron iddo feichio crio. Sut y medrai o ddioddef peidio dawnsio am y tri mis nesa? Doedd dim byd mor ddychrynllyd â hyn wedi digwydd iddo erioed yn ei fywyd o'r blaen.

Yn ôl yn yr ysgol, helpodd Nyrs Morgan Cochyn

i fynd i'r ysbyty. "Byddai'n well iti gysgu yma – am rai dyddiau beth bynnag," meddai. "Byddai mynd i fyny'r grisiau i dy stafell dy hun yn anodd efo baglau. Caiff dy ffrindiau ddod yma i dy weld di tra byddi di'n dal y goes 'na i fyny." Edrychodd yn bryderus arno. "Roeddwn i'n mynd i awgrymu dy fod ti'n mynd i'r gwersi pnawn 'ma," meddai, "Ond mae golwg mor flinedig arnat ti. Pam na wnei di restr o'r petha yr hoffet ti eu cael o dy lofft? Af i i nôl gwydraid o ddŵr iti gael llyncu'r tabledi lladd poen gawson ni o'r ysbyty ac wedyn cei di orffwys am dipyn, ac mi ffonia inna dy deulu i ddweud be sy wedi digwydd."

Estynnodd ddarn o bapur a phensel iddo a chrafodd Cochyn ei ben i geisio cofio popeth yr hoffai o eu cael o'i ystafell. Erbyn iddo orffen y rhestr roedd y tabledi lladd poen yn dechrau gweithio. Gyda'r boen yn diflannu'n araf, syrthiodd i gysgu'n anesmwyth o'r diwedd.

Deffrodd yn hwyrach o lawer a gweld Nyrs Morgan yn rhoi paned o de a bisgedi ar y bwrdd ger erchwyn ei wely. "Mae rhywun wedi dod i dy weld ti!" meddai'n siriol.

Dan oedd yno, wedi dod â dillad a bag 'molchi, ei fag ysgol a'r llyfr roedd o wrthi'n ei ddarllen iddo. Straffagliodd Cochyn i godi ar ei eistedd. Roedd ganddo wayw yn ei ben-lin a'r rhwymyn trwchus yn ei rwystro rhag ei symud yn hawdd. "Faint ydi hi o'r gloch?" gofynnodd yn gysglyd i Dan.

"Amser te!" meddai Dan wrtho. "Dois i yma i dy weld ti ar ôl cinio, ond dywedodd Nyrs Morgan mai newydd gyrraedd yn ôl o'r ysbyty oeddet ti a dy fod ti'n cysgu."

Bwytaodd Cochyn fisgeden ac yn sydyn teimlai'n llwglyd iawn, gan sylweddoli ei fod wedi colli'i ginio. Llowciodd y fisgeden arall yn gyflym fel roedd Nyrs Morgan yn dod yn ôl gyda hambwrdd mawr. "Wyt ti eisio'r salad yma?" gofynnodd. "Gadewais i o yn y cwpwrdd oer ar dy gyfer di."

"Diolch!" meddai.

"Gwnaethon ni hwn iti hefyd," cyhoeddodd Dan, a rhoi cerdyn anferth ar wely Cochyn. "Wel, Fflur wnaeth o a ninna i gyd yn rhoi ein henwau arno wedyn."

"Diolch, Dan! Cofia ddiolch i bawb drosta i."

Edrychodd Dan ar y blodau papur oedd wedi'u torri mor grefftus a'u glynu ar flaen y cerdyn. Y tu mewn roedd pawb wedi rhoi pwt o neges ac wedi arwyddo'u henwau. Amrywiadau o 'Brysia Wella' oedd y rhan fwyaf, ond roedd Jack wedi ysgrifennu 'Mae'n wir ddrwg gen i' wrth ymyl ei enw.

Rhoddodd Cochyn y cerdyn o'r neilltu. Rywfodd roedd y cerdyn wedi'i ddifetha drwy gael enw Jack arno. Doedd o ddim eisiau meddwl am Jack, ond ni fedrai beidio. Petai Jack ddim wedi dod i Blas Dolwen, fyddai Cochyn ddim wedi holi ynghylch y naid a fyddai hyn ddim wedi digwydd. Ar Jack roedd y bai am hyn i gyd.

Yn rhywle yng nghefn ei feddwl, gwyddai Cochyn yn iawn ei fod o'n afresymol ond yn ei boen a'i dristwch, ni fedrai ddioddef gweld mai arno fo'i hun yr oedd y bai ei fod wedi brifo. A'r hyn oedd yn waeth oedd meddwl am Jack, gan fod hynny'n ei atgoffa fod Jack yn medru dawnsio – ac yntau ddim. Beth wnâi o petai o byth yn medru dawnsio eto?

9. Ffrind Mewn Angen

Fu Cochyn fawr o dro yn meistroli'r baglau a dychwelyd i gael gwersi efo'i ffrindiau. Roedd pawb yn garedig iawn wrtho – a Dan yn arbennig, yn ei helpu ac yn gofalu fod pawb yn aros yn ddigon pell oddi wrtho rhag ofn iddyn nhw daro'i ben-lin. Ymdrechodd Cochyn i fod yn hwyliog ond a dweud y gwir, teimlai'n sobor o ddigalon. I bob golwg, roedd tynnwr coes y dosbarth wedi diflannu am byth.

Wedi iddo fod yn eistedd â'i ben yn ei blu ar ymylon y stiwdio ddawns am wers neu ddwy, aeth Mr Penardos ato i gael gair. "Waeth iti beidio dod i 'ngwersi i nes y bydd dy goes di'n well," meddai. "Roeddwn i'n meddwl y byddet ti'n hoffi gwylio, ond mae'n amlwg fod hynny yn gwneud iti deimlo'n rhwystredig."

"Mae'n ddrwg gen i," ymddiheurodd Cochyn.

"Popeth yn iawn," meddai Mr Penardos. "Dwi'n deall sut rwyt ti'n teimlo. Ond defnyddia'r amser rhydd yn ddoeth. Canolbwyntia ar dy waith academaidd."

Gwnaeth Cochyn ymdrech gyda'i waith ysgol, ond bob tro yr âi i rywle tawel i astudio, crwydrai ei feddwl yn ôl at yr eiliad ddychrynllyd pan lithrodd ei droed oddi tano, pan sylweddolodd ei fod mewn helynt. Roedd o wedi syrthio'n gam ar ei ben-lin ar ôl glanio ynghanol pwll llithrig o ddiod oedd wedi'i golli ar y llawr. Nid llamu'n flêr wnaeth o, ond doedd gwybod hynny'n ddim cysur o gwbl. Dro ar ôl tro, ailchwaraeodd y naid a'r canlyniadau poenus yn ei feddwl. Gwyddai'n iawn na ddylai fod wedi bod yn dawnsio yn yr ystafell fwyta, ond roedd gofidio na fedrai ddawnsio – yn ogystal â gwybod yng nghefn ei feddwl mai arno fo'i hun roedd y bai – yn gwneud i Cochyn feio Jack o hyd.

Ymdrechodd ei ffrindiau i'w helpu, ond doedd dim yn codi calon Cochyn. Roedd sgwrsio efo'i deulu ar y ffôn yn gwneud iddo deimlo'n fwy truenus fyth. Hiraethai amdanyn nhw'n ofnadwy am nad oedd o'n medru mwynhau'i hun drwy ddawnsio ac roedd eu cardiau a'u hanrhegion yn gwaethygu'r hiraeth, felly, ymhen ychydig ddyddiau cafodd ganiatâd i fynd adref i fwrw'r Sul.

Cyrhaeddodd tad Cochyn i'w nôl. Cariodd Dan fag ei ffrind allan i'r car wrth i Cochyn yn ei ddilyn ar ei faglau.

Roedd Jack yn sefyllian wrth y drws. Edrychai fel petai eisiau dweud rhywbeth.

"Hwyl fawr," meddai Dan. Cymylodd wyneb Cochyn ac edrychodd i gyfeiriad Jack. Sut gebyst y medrai o gael *hwyl* ac yntau wedi brifo? Gwridodd Jack a diflannu drwy'r drws, wedi cynhyrfu drwyddo.

Gartref, roedd pawb eisiau gofalu am Cochyn – ei fam yn gwneud iddo orwedd ar y soffa a hyd yn oed ei chwiorydd am y gorau yn ceisio gwneud iddo deimlo'n well. Roedden nhw i gyd yn eu tro yn estyn a nôl hyn a'r llall iddo, yn cario diodydd ac yn rhuthro i agor drysau, a hyd yn oed yn gadael iddo fo ddewis pa raglenni teledu roedden nhw'n eu gwylio! Yn raddol, dechreuodd ei ben-lin deimlo'n well ac erbyn diwedd y penwythnos doedd hi ddim mor boenus.

Wedi iddo gyrraedd yn ôl i'r ysgol, gallai Cochyn fynd i fyny'r grisiau i'w lofft ei hun ac yn araf daeth pethau'n ôl i drefn – cymaint ag y gallen nhw i ddawnsiwr nad oedd yn medru dawnsio. Roedd Nyrs Morgan yn fodlon iawn ar sut y gofalai Cochyn amdano'i hun.

"Dal ati i fod yn amyneddgar a dwi'n siŵr y bydd dy goes yn gwella'n wirioneddol dda," meddai hi wrtho'n fodlon. "Amser ydi'r feddyginiaeth orau wyddost ti."

Ond roedd Cochyn yn teimlo'n fwyfwy anobeithiol bob dydd. Roedd ganddo ddigonedd o amser i wneud y gwaith a hoffai leiaf, ond châi o ddim mynd i'r gwersi a garai fwyaf. Suddai'n is ac is i ddigalondid mawr a doedd dim byd allai ei ffrindiau ei wneud i godi'i galon. Roedd llawer o'r myfyrwyr yn ymarfer yn galed gan obeithio cael eu dewis ar gyfer y cyngerdd Sêr y Dyfodol a gwnâi hyn i Cochyn deimlo'n waeth fyth. Roedd o wedi bod mor sicr y byddai'n cael ei ddewis yn un o Sêr y Dyfodol y tymor hwn! Bellach roedd ei freuddwyd wedi troi'n drychineb. Canolbwyntiai pawb ar eu gwaith; pawb yn brysur ac yntau mor brudd. Ond beth am ei ffrind gorau?

Roedd Dan wedi gwneud ei orau glas i godi calon Cochyn, ond i bob golwg, doedd Cochyn ddim eisiau bod yn hapus. Yn y diwedd, cafodd Dan lond bol pan aeth i'w hystafell i newid ar ôl gwers ddawns gyffredinol un diwrnod. Wnaeth Cochyn ddim trafferthu hyd yn oed i godi'i ben o'r llyfr yr oedd o'n ei ddarllen pan siaradodd Dan efo fo.

Aeth Dan draw at wely Cochyn a chipio'r llyfr o'i law.

"Hei!" protestiodd Cochyn. "Dydi hynna ddim yn deg! Fedra i ddim cwffio efo ti oherwydd fy mhen-lin."

"Rwyt ti'n treulio gormod o amser yn hel meddyliau am dy ben-lin," meddai Dan wrtho, gan daflu'r llyfr yn ddigon pell o gyrraedd Cochyn.

"Paid â bod mor gas," meddai Cochyn yn bwdlyd. "Roeddwn i'n meddwl dy fod ti'n ffrind imi?"

"Dwi yn ffrind iti," meddai Dan wrtho. "A dwi'n

poeni yn dy gylch di. Dwyt ti'n gwneud dim byd ond meddwl amdanat ti dy hun, a dydi hynny'n gwneud dim lles iti."

"Digalon fyddet titha hefyd petaet ti ddim yn cael drymio am fisoedd," dadleuodd Cochyn.

"Wrth gwrs," cytunodd Dan, "ond mae'n rhaid i fywyd fynd yn ei flaen hyd yn oed pan mae petha'n mynd o chwith."

"Fedr 'mywyd i ddim mynd yn ei flaen os na fedra i ddawnsio," meddai Cochyn wrtho. "Mae 'mywyd i ar ben."

"Paid â malu awyr!" meddai Dan wrtho'n ddig. "Ac nid chdi ydi'r unig un sy'n dioddef chwaith. Be am Jack druan?"

Rhythodd Cochyn ar Dan. "Be wyt ti'n feddwl?" gofynnodd yn syn. "Dydi Jack ddim wedi brifo. Ac arno fo mae'r bai 'mod i wedi 'neud. Petai o heb ddod i Blas Dolwen fyddwn i byth wedi meddwl neidio fel'na."

Ysgydwodd Dan ei ben. "Fedri di ddim gweld bai ar Jack am dy gamgymeriad di dy hun," meddai. "Rwyt ti'n cadw reiat drwy'r amser – gwneud stepiau dawns a neidio ar hyd y lle."

Ddywedodd Cochyn 'run gair. Fedrai o ddim cyfaddef hyd yn oed iddo fo'i hun fod Dan yn llygad ei le.

Ond doedd Dan ddim wedi gorffen. "Rwyt ti wedi bod yn anwybyddu Jack ac mae o wedi dechrau gwneud ffrindiau eraill," meddai wrth Cochyn. "Mae o'n teimlo'n ofnadwy am dy fod ti wedi brifo. Dwedais i wrtho fo nad arno fo mae'r bai ond mae o'n beio'i hun am ddisgrifio'r naid iti yn y stafell fwyta. Mae'n gwbl amlwg nad wyt ti ddim eisio iddo fo ddod ar dy gyfyl di, felly fedr o ddim hyd yn oed ymddiheuro. Pam na siaradi di efo fo, Cochyn? Dwi'n siŵr y byddet ti'n teimlo'n well petaech chi'ch dau yn ffrindiau eto."

Pwysodd Cochyn yn ôl ar ei obennydd gan ailosod ei ben-lin yn fwy cysurus. "Os gwela i o, bydda i'n cael f'atgoffa na fedra i ddim dawnsio," meddai'n ddigalon.

Cydiodd Dan yn llyfr Cochyn a'i luchio'n ôl ar y gwely. "Byddet ti'n teimlo'n llawer gwell petaet ti'n rhoi'r gorau i feddwl amdanat ti dy hun drwy'r amser," meddai wrth Cochyn wedyn. "Dos i chwilio am Jack yn lle aros yma efo dy ben yn dy blu. Cer 'laen. Dwyt ti ddim yn deg ag o."

Cydiodd Cochyn yn ei lyfr a'i droi a'i drosi yn ei ddwylo. "Ella gwna i," meddai'n araf.

"Dos i siarad efo fo," meddai Dan yn ddiamynedd. "Waeth beth ddigwyddith, medri di wneud iddo *fo* deimlo dipyn bach yn well, medri?"

Arhosodd Dan am funud, ond ni atebodd Cochyn. "Wela i di toc," ychwanegodd yn biwis gan droi ar ei sawdl a gadael Cochyn ar ei ben ei hun.

Am dipyn bach, gorweddodd Cochyn ar ei wely i feddwl am bethau o ddifrif. Doedd o ddim eisiau gwneud i Jack deimlo'n well. Daliai i gredu mai arno fo roedd y bai am ei anffawd ei hun. Ond roedd Dan wedi'i orfodi i wynebu pethau. Dylai ymddiheuro i Dan hefyd. Roedd o wedi trin ei ffrind gorau yn wirioneddol wael y tymor yma – ei anwybyddu tra oedd o'n treulio gymaint o'i amser efo Jack, ac yna'n bod yn biwis ac yn groes ers pan frifodd ei ben-lin. Ond drwy'r cyfan, bu Dan yn ffrind ffyddlon, cywir.

Felly penderfynodd Cochyn y byddai'n ymwroli.

Cododd oddi ar y gwely yn ofalus a chydio'n ei faglau. Dylai fynd i chwilio am Jack i gael gair efo fo. Byddai'n gam i'r cyfeiriad iawn.

Anelodd at y drws ac yna sefyll ar ei goes dda wrth ei agor gydag un o'r baglau. Yn araf, cerddodd i lawr y coridor tuag at ystafell Jack. Gyda lwc, byddai Jack yno ac ni fyddai'n rhaid iddo straffaglio i fynd i lawr y grisiau. Pan gyrhaeddodd at ddrws Jack, safodd Cochyn yn ofalus ar ei goes dda drachefn wrth ymestyn at y bwlyn. Fel roedd o'n cydio ynddo, agorodd y drws tuag at i mewn. Roedd rhywun yn ei agor o'r ochr arall. Siglodd Cochyn yn simsan, gan geisio peidio syrthio.

"Mae'n ddrwg gen i!" meddai Jack pan welodd Cochyn. Cynigiodd ei law i helpu'r dawnsiwr cloff, ond cydiodd Cochyn yn ffrâm y drws yn gyflym i arbed ei hun.

"Bron iti wneud imi syrthio eto!" meddai Cochyn wrtho'n gas, gan wthio Jack o'r ffordd.

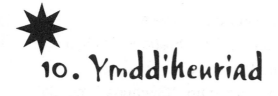

10. Ymddiheuriad

"Mae'n ddrwg gen i," ymddiheurodd Jack ar unwaith. "Wyddwn i ddim dy fod ti yna."

"O." Teimlai Cochyn yn flin efo fo'i hun. Roedd o wedi mynd yno gan fwriadu dod yn ffrindiau efo Jack unwaith eto, ond roedd pethau wedi mynd o chwith. Nid ar Jack roedd y bai Jack fod Cochyn wedi cyrraedd at ei ddrws ar yr union eiliad honno. Gollyngodd ei afael ar ffrâm y drws a hercian yn ofalus at wely Jack. Eisteddodd yn sydyn – wedi cael braw am ei fod bron wedi syrthio am yr eilwaith.

"Ga i eistedd yma?" gofynnodd. Nodiodd Jack. Gosododd Cochyn ei hun ar y gwely a gadael i Jack roi ei faglau yn erbyn y cwpwrdd ger erchwyn y gwely. Yna pwysodd Cochyn yn ôl ac ochneidiodd.

Am ychydig eiliadau, bu tawelwch, ac yna

dechreuodd y ddau siarad ar unwaith.

"Mae'n ddrwg gen i … " dechreuodd Cochyn.

"Be oedd … " meddai Jack.

Gwenodd Cochyn yn gam. "Gwranda," meddai wrth Jack, "Mae'n ddrwg gen i. Dwi wedi dod yma i ymddiheuro am dy anwybyddu di ers imi syrthio, ond rŵan dwi wedi bod yn annifyr eto! Fedra i wneud dim byd yn iawn ar y funud. Dwi'n meddwl fod pobl wedi cael llond bol am ein bod ni'n dau mor ddigalon." Yna ychwanegodd, "Ac arna i mae'r bai."

Edrychodd Jack yn annifyr. "Wel, roeddwn i eisio dod i ddweud ei bod hi'n ddrwg iawn gen i, ond doeddet ti ddim eisio siarad efo fi … " Edrychodd ar goes Cochyn a throi draw wedyn.

"Wn i." Symudodd Cochyn i wneud ei hun yn fwy cysurus. "Hyn i gyd," meddai gan chwifio'i law i gyfeiriad ei ben-lin. "Nid arnat ti roedd y bai o gwbl. Fi oedd yn bod yn hurt, wn i hynny erbyn hyn."

"Ond fi oedd ar fai yn egluro'r naid iti yn y stafell fwyta," meddai Jack. "Petawn i wedi gwrthod nes ein bod ni yn y stiwdio ddawns, fyddai hyn i gyd ddim wedi digwydd."

"Ella na fyddai o wedi digwydd bryd hynny," cyfaddefodd Cochyn, "ond yn hwyr neu'n hwyrach mae'n debyg y byddwn i wedi gwneud llanast. Wnes i ddim ystyried y gallai'r llawr fod yn wlyb. Sôn am fod yn hurt bost! Mae'n amlwg fod pobl yn colli diodydd mewn stafell fwyta o dro i dro! A wnest ti mo 'ngorfodi i i neidio fel'na, naddo?"

Ysgydwodd Jack ei ben. "Naddo, debyg," cytunodd.

"Dwedodd Dan dy fod ti wedi gwneud un neu ddau o ffrindiau newydd," meddai Cochyn ar ôl rhai eiliadau o dawelwch annifyr.

Gwenodd Jack. "Dwi'n gwneud yn iawn efo Ravi," meddai. "A George hefyd."

"Da iawn," meddai Cochyn, yn dal i deimlo'n chwithig.

Nodiodd Jack. "Felly, oes arnat ti angen rhywbeth?" gofynnodd.

Meddyliodd Cochyn am funud. "Mae 'na un peth y medret ti ei wneud i mi," meddai'n betrus.

"Be?" gofynnodd Jack.

"Dyweda wrtha i sut mae'r gwersi dawns yn

mynd?" gofynnodd Cochyn iddo. "Roeddwn i'n meddwl y byddai'n well imi beidio dod ar gyfyl y gwersi, ond dwi'n meddwl fod peidio gwybod be sy'n digwydd hyd yn oed yn waeth."

"Wir?" gofynnodd Jack.

"Wir," meddai Cochyn, yn gwenu am y tro cyntaf ers hydoedd. "Dyweda wrtha i be sy wedi bod yn digwydd," meddai'n eiddgar. "Hoffwn i wybod popeth."

"Wel," meddai Jack a'i wyneb yn goleuo, "ddoe yn y dosbarth cyffredinol gofynnodd Mr Penardos imi ddangos sut mae dawnswyr bale yn cerdded ar draws llwyfan. Roedd y peth yn ddoniol iawn. Ar y dechrau, fedrai neb arall ond Fflur a Ffion gwneud hynny'n iawn. Wyddost ti faint o'n i'n ei boeni ynghylch pobl eraill yn dod i wybod 'mod i'n dawnsio bale?"

Nodiodd Cochyn.

"Wel, roedd gan bawb ddiddoredeb mawr. Wnaeth neb fy mhryfocio i o gwbl! Ges i sgwrs wych efo Fflur a Ffion wedyn. Dywedon nhw eu bod nhw wedi bod yn mynd i ddosbarthiadau bale am flynyddoedd pan oedden nhw'n fach."

Am yr hanner awr nesa, cadwodd Jack Cochyn yn ddiddig drwy ddweud hanes popeth oedd wedi digwydd yn y dosbarthiadau roedd Cochyn wedi'u colli. O'r diwedd dechreuodd y ddau sôn am ei ddawns dull rhydd.

"Sut mae dy ddawns di'n dod yn ei blaen?" gofynnodd Cochyn. "Wyt ti wedi'i gorffen hi eto?"

"Bron iawn," atebodd Jack. "Ond dwi ddim yn meddwl ei bod hi'n dda iawn. Mae angen thema i'w chadw efo'i gilydd. Ar y funud, dydi hi'n ddim byd ond cyfres o gamau gwahanol a dydi hynny ddim yn ddigon diddorol."

"Dangos i mi," mynnodd Cochyn. "Ond symud y mat 'na o'r ffordd i ddechrau," ychwanegodd fel roedd Jack yn mynd i ganol y llawr. "Rhag i ni gael damwain arall! Mae'r llawr yma'n eitha da, ond paid â gwneud dim byd ond cerdded drwyddi. Ac er mwyn popeth, paid â neidio o gwbl!"

Fel roedd Jack yn mynd drwy'i ddawns, sylweddolodd Cochyn gymaint roedd o'n mwynhau ei hun. Teimlai'n hapus am y tro cyntaf ers ei ddamwain. Fedrai o ddim dawnsio ar y funud, ond efallai y gallai o helpu.

"Does dim byd o'i le ar dy symudiadau di," meddai wrth Jack, "ond dwi'n deall be sy gen ti. Mae pob cam yn iawn, ond rwyt ti'n llygad dy le – dydi'r ddawns ddim yn un cyfanwaith rywfodd. Dylai pob dawns ddweud rhyw fath o stori. Heb hynny mae'n edrych fel petai rhywun yn dangos ei hun."

"Pam na ddoi di i'r wers nesa?" meddai Jack. "Er na fedri di ddawnsio ar hyn o bryd, rwyt ti'n dda am awgrymu petha. Gallet ti helpu'r lleill hefyd."

"Wn i ddim," meddai Cochyn. "Ond petawn i'n dod, o leia byddwn i yng nghanol petha." Symudodd rywfaint ar y gwely a saethodd brathiad poenus drwy'i ben-lin. Dyna'r tro cyntaf iddo gofio ei fod wedi brifo ers iddo ddechrau sôn am ddawnsio. Roedd Dan yn iawn. *Roedd* o'n teimlo'n well wrth beidio meddwl amdano'i hun drwy'r adeg. Ond yna cofiodd na châi o ddim dawnsio, ac y byddai'r cyngerdd Sêr y Dyfodol yn cael ei gynnal hebddo fo. Beth petai'n colli'r cyfle gorau gâi o byth i berfformio? Beth petai Jack neu un o'r myfyrwyr eraill yn cael eu dewis yn ei le y tro nesa? Sut medrai o ddioddef hynny? Ond doedd wiw iddo hel meddyliau. Roedd yn *rhaid* iddo wneud y gorau o'r gwaethaf.

"Iawn," cytunodd, gan anwybyddu'r boen. "Rhof i gynnig arni. Dof i i'r wers nesa."

11. Cyfle i Cochyn

Erbyn hyn, gan fod ganddo reswm dros fynd yn ôl i'r dosbarthiadau dawnsio, teimlai Cochyn yn well o lawer. Ond roedd o eisiau gweld Dan er mwyn diolch iddo am ei helpu i gael trefn arno'i hun.

Roedd hi'n amser te, felly aeth Jack a Cochyn draw i'r ystafell fwyta gyda'i gilydd. Pan herciodd Cochyn i mewn wrth ochr Jack, edrychodd eu ffrindiau i gyd yn ddigon syn, ond wedi gweld fod yr hen wên yn ôl ar ei wyneb, dechreuodd pawb guro dwylo. Estynnodd Fflur gadair er mwyn i Cochyn gael eistedd a gosododd Jack ei fag ar gefn y gadair.

"Dwyt ti ddim am aros efo ni, Jack?" gofynnodd Erin.

Ysgydwodd Jack ei ben. "Na, dim diolch. Mae Ravi yn aros amdana i," meddai. "Dywedais i y byddwn i'n cael te efo fo."

"Gwelwn ni di yn nes ymlaen, felly," meddai Dan fel roedd Jack yn troi i fynd draw at fwrdd Ravi.

"Wel," meddai Llywela wrth Cochyn. "Pam wyt ti'n edrych fel 'taet ti wedi ennill y loteri? Roeddwn i'n meddwl fod y wên hurt 'na wedi diflannu am byth."

Swniai mor bigog ag arfer, ond gwyddai Cochyn yn iawn fod hyd yn oed Llywela'n falch o'i weld yn debycach iddo fo'i hun.

"Ar Dan mae'r bai," meddai Cochyn, a gwenu ar ei ffrind. "Fo gododd fy nghalon i. Diolch, was," ychwanegodd o waelod ei galon. "Dwi'n addo gwneud fy ngorau i beidio â bod yn gymaint o lembo o hyn allan."

"Mae petha wedi bod yn ddigon anodd iti," meddai Ffion yn llawn cydymdeimlad. "Dydi o'n ddim syndod dy fod ti wedi bod braidd dan y don."

"*Braidd* dan y don?" meddai Llywela. "Mae o wedi bod yn *ddychrynllyd* ar ôl ei ddamwain."

"Felly, be sy wedi codi dy galon di?" gofynnodd Erin. "Fedri di ddim … chei di ddim dawnsio … na chei?"

"Taw, wir!" cwynodd Cochyn. "Y cyfan sy wedi

digwydd ydi 'mod i wedi helpu Jack gyda'i ddawns, a mwynhau gwneud hynny hefyd. Dwi ddim yn gorfod canolbwyntio ar fy nawns fy hun. Dwi am fynd i'w ddosbarth dawns nesa i weld fedra i helpu rhagor. Bydda i yng nghanol cyffro'r dawnsio hyd yn oed os na cha i ddawnsio fy hun."

Fel yr addawodd, aeth Cochyn i'r dosbarth dawnsio drannoeth. Pan glywodd Mr Penardos beth roedd Cochyn eisiau'i wneud, roedd o wrth ei fodd.

"Ardderchog, Cochyn," meddai. "Os byddi di'n mwynhau coreograffi neu ddysgu disgyblion eraill, fyddi di byth allan o waith. Wyddost ti fod dawnswyr yn troi'n athrawon coreograffi wrth fynd yn hŷn? Pam na wnei di wylio be mae pawb arall yn ei gwneud inni gael gweld oes gen ti unrhyw awgrymiadau?"

Eisteddodd Cochyn ar yr ochr i wylio'r dawnswyr yn cynhesu ac yna'n dawnsio'n unigol. Ysai am fynd atyn nhw ar y llawr dawns arbennig, ond ymdrechodd i beidio meddwl amdano'i hun a chanolbwyntiodd ar wylio'r myfyrwyr eraill.

Roedd ganddo amryw o sylwadau buddiol i Alys

yn ogystal â Jack, ac roedd Mr Penardos yn ganmoliaethus iawn. "Da iawn, Cochyn," broliodd. "Ella y byddi di'n goreograffydd enwog rhyw ddiwrnod!"

Ceisiodd Cochyn deimlo'n frwd ynghylch bod yn goreograffydd, ond er ei fod yn mwynhau cynllunio dawnsfeydd, gwyddai'n sicr mai dawnsio fyddai ei gariad cyntaf bob amser.

Yn nes at ddiwedd y wers, awgrymodd Cochyn gyfres o stepiau i Jack, ond pan roddodd Jack gynnig arnyn nhw, fedrai o yn ei fyw eu gwneud yn gywir "Na," meddai Cochyn wrtho, gan amau a oedd o wedi medru eu hegluro'n iawn neu a oedd Jack yn methu cael y drefn yn gywir. Cydiodd yn ei faglau a straffaglio ar ei draed. "Dangosa i iti," meddai.

"Ara deg!" rhybuddiodd Jack yn bryderus.

"Dwi'n iawn," atebodd Cochyn. "Gwna nhw efo fi. Eglura i eto. Y droed dde gynta, ac wedyn dod â'r chwith drosodd fel hyn."

Doedd hi ddim yn hawdd efo'r baglau ac roedd yn rhaid iddo gofio nad oedd wiw iddo roi pwysau ar ei ben-lin ddrwg, ond llwyddodd Cochyn i ddangos beth roedd o'n ei feddwl i Jack.

"O! Dwi'n deall," meddai Jack. "Fel hyn rwyt ti'n feddwl?"

Aeth drwy'r dilyniant drachefn. Gwyliodd Cochyn yn ofalus. "Bron iawn," cytunodd. "Ond dwyt ti ddim yn dod â'r goes yna'n ddigon pell drosodd o hyd." Ceisiodd ddangos a bu bron iddo syrthio. Llithrodd un o'r baglau ar y llawr a bu'n rhaid i Jack gythru at fraich Cochyn i'w atal rhag syrthio.

Roedd Cochyn wedi dychryn braidd, a theimlai'n ddig hefyd. Arno fo'i hun roedd y bai a neb arall. "Dwi'n iawn," meddai wrth Jack, gan ysgwyd yn rhydd o'i afael. Beth petai wedi syrthio ar ei ben-lin ddrwg? Fedrai o wneud affliw o ddim heb fynd i helynt. Gyda Jack yn hofran gerllaw, eisteddodd Cochyn yn ofalus iawn ar ei gadair.

"O, cer o'ma," meddai'n gas. Yna ochneidiodd. "Mae'n ddrwg gen i," ymddiheurodd yn syth bin. "Dwi'n iawn. Cer di yn dy flaen. Wela i di wedyn."

Diffoddodd Mr Penardos y gerddoriaeth ac arhosodd i bawb arall adael yr ystafell cyn mynd draw i gael gair efo Cochyn.

"Gwnest ti'n dda iawn heddiw," meddai wrtho.

Cododd Cochyn ei ysgwyddau. Teimlai'n ddig efo'i hun, ond fedrai o yn ei fyw beidio teimlo'n ddigalon drachefn.

Eisteddodd Mr Penardos ac edrych ar ei fyfyriwr yn feddylgar am funud. "Rwyt ti'n bownd o deimlo'n rhwystredig bob hyn a hyn," meddai wrth Cochyn. "Dwi'n deall yn iawn sut wyt ti'n teimlo."

"Ydach chi?" gofynnodd Cochyn yn chwerw.

"O, ydw," mynnodd Mr Penardos. "Digwyddodd rhywbeth tebyg i mi pan o'n i'n ifanc, wyddost ti."

Arhosodd Cochyn tra oedd Mr Penardos wedi ymgolli yn ei feddyliau am funud, gan fethu deall beth oedd gan ei athro i'w ddweud.

"Roeddwn i'n eitha tebyg i ti," meddai Mr Penardos. "Digon o ddawn ac yn llawn llawenydd wrth ddawnsio yn fy ngwlad fy hun – Ciwba. Roeddwn i'n uchelgeisiol iawn hefyd. Am roi De America ar dân drwy ddawnsio! Cael gwahoddiadau i berfformio yn Efrog Newydd a thu hwnt! Ond ddigwyddodd dim byd tebyg.

"Pam?" gofynnodd Cochyn.

Gwenodd Mr Penardos yn brudd. "Bûm i'n hurt," eglurodd. "Roeddwn i wedi brifo 'mhen-lin wrth ymarfer un diwrnod. Ond roedd gen i gariad ac roeddwn i mor awyddus i wneud argraff dda arni. Anwybyddais y niwed. Roeddwn i'n dawnsio efo hi ac roedd hynny'n boenus, ond roeddwn i'n benderfynol o beidio rhoi'r gorau iddi ac i ddal ati i ddangos fy hun … " Cododd Mr Penardos ei ysgwyddau. "Syrthiais i wedyn, a dyna'r diwedd. Roeddwn i wedi niweidio gormod ar y ben-lin. Fu hi byth 'run fath wedyn."

"Wyddwn i ddim," meddai Cochyn. "Roeddwn i'n meddwl mai wedi rhoi'r gorau i ddawnsio er mwyn dysgu oeddech chi."

"Dwi wrth fy modd yn dysgu erbyn hyn," meddai Mr Penardos wrth Cochyn. "Ond bryd hynny roeddwn i'n meddwl fod y byd ar ben. Bob tro roeddwn i'n trio dawnsio, roedd fy mhen-lin yn gwegian. Doedd gen i ddim dewis ond ildio a chyfaddef fod fy ngyrfa ar ben. Ond rwyt ti … " nodiodd ar Cochyn. "Mae gen i barch mawr i ti, am dy fod di'n ofalus. Er dy fod ti'n ysu am ddefnyddio'r ben-lin yna eto, ti'n bod yn gall. Dwi'n sicr y byddi di'n iawn am dy fod ti – yn wahanol i mi – yn gadael iddi wella'n iawn."

"Mae'n ddrwg iawn gen i," meddai Cochyn. "Dyna ofnadwy."

"Oedd," cytunodd Mr Penardos. "Roedd o'n beth ofnadwy ar y pryd. Ond ers talwm oedd hynny. Erbyn hyn dwi'n mwynhau'r gwaith yma'n arw iawn. Ond, wyddost ti, mae'n bosib iti ddefnyddio dy deimladau ar ôl y ddamwain i wella dy ddawnsio pan fyddi di'n well?"

"Ydi o?" gofynnodd Cochyn yn syn. "Sut?"

Gwenodd Mr Penardos. "Rwyt ti'n un da iawn am fynegi hwyl a llawenydd drwy ddawnsio," meddai. "Ond roedd dawnsio rhannau trist yn fwy anodd o lawer iti … "

"Oedd!" cytunodd Cochyn. Yn sicr, roedd hynny'n wir.

"Wel, mae'r niwed yma wedi gwneud iti deimlo petha na theimlaist ti erioed o'r blaen," meddai Mr Penardos. "Wyt ti'n cytuno?"

Nodiodd Cochyn. Doedd o erioed wedi bod mor ddigalon nac mor ddig nac mor ofnus ag roedd o wedi bod ers iddo frifo.

"Wel, felly," meddai Mr Penardos, gan godi ar ei draed ac estyn baglau Cochyn iddo. "Meddylia di am y teimladau yna. Cofia nhw. Medri di fynegi sut rwyt ti'n teimlo efo dy gorff er dy fod ti ar faglau. Mae'n syndod faint o emosiwn y gall pobl ei gyfleu, hyd yn oed wrth eistedd. Roeddwn i'n medru gweld yn glir iawn pa mor druenus roeddet ti'n teimlo gynna, er na ddwedaist ti ddim byd, ac er dy fod ti'n eistedd yn llonydd."

"O," mwmiodd Cochyn. "Do'n i ddim wedi meddwl am hynna."

"Meddwl am dy anaf fel cyfle," cynghorodd yr athro. "Tra mae'r gewyn yna'n gwella, medri dithau dyfu hefyd."

Cododd Cochyn ar ei draed a rhoi'i fag dros ei ysgwydd. "Wna i 'ngorau," meddai wrth ei athro. "Dwi'n addo. Wir yr!"

12. Syniad Cochyn

Tra oedd pawb arall yn newid o'u dillad dawnsio, aeth Cochyn am dro. Medrai symud yn eithaf cyflym ar ddaear wastad efo'i faglau erbyn hyn, felly anelodd at ei hoff le ar lan y llyn. Eisteddodd ar fainc yno i fwynhau'r haul cynnes.

Hanes Mr Penardos oedd ar ei feddwl. Rywfodd, roedd Cochyn wedi cymryd yn ganiataol na fedrai neb byth ddeall sut roedd o'n teimlo ar ôl ei ddamwain, ond yn awr gwyddai fod Mr Penardos wedi dioddef anaf tebyg gyda chanlyniadau echrydus. Gwnaeth hanes yr athro i Cochyn fod yn fwy penderfynol fyth y byddai ei ben-lin yn gwella'n iawn cyn ei defnyddio drachefn, pa mor hir bynnag gymerai hynny.

Pan gafodd ei archwiliad diwethaf gan y meddyg, roedd hwnnw wedi dweud wrtho mai mwyaf yn y byd y gallai gryfhau'r cyhyrau, gorau yn y byd y bydden nhw'n amddiffyn y gewyn gwan. Felly roedd Cochyn eisoes wedi dechrau gwneud yr ymarferion a ddangosodd y ffisiotherapydd iddo.

Gan ymestyn ei goes ddrwg o'i flaen, edrychodd ar yr olygfa o'i gwmpas. Edrychai'r llyn yn hardd iawn ar noson mor braf. Adlewyrchai'r dŵr yr awyr ddigwmwl, gan ei droi'n las ariannaidd bendigedig. Yn awr ac yn y man, crychai awel fechan y dŵr. Nofiai amryw o hwyaid tuag ato drwy'r tonnau ysgafn, gan ysgwyd eu cynffonnau'n ddisgwylgar.

"Hen dro," meddai Cochyn wrthyn nhw. "Does gen i ddim bwyd i chi heddiw."

Syllodd draw dros y llyn wrth feddwl yn ddwys am bopeth roedd Mr Penardos wedi'i ddweud. Sylweddolai mor braf fu ei fywyd cyn y ddamwain – fel petai angel wedi bod ei warchod drwy'r adeg. Roedd popeth wedi digwydd yn union fel roedd o wedi'i ddymuno a'i natur siriol ffwrdd-â-hi wedi ei helpu i ymgartrefu'n hawdd ym Mhlas Dolwen, heb bwt o hiraeth am ei gartref na'r un broblem arall chwaith. Bu pethau i fyny ac i lawr fymryn o dro i dro, fel pawb arall, wrth gwrs, ond bu'n hapus fel y gog y rhan fwyaf o'r amser. O feddwl yn ôl, doedd hyd yn oed ei bryderon ynghylch ei wallt coch gwyllt ddim wedi bod cynddrwg â hynny.

Yn awr, roedd popeth wedi newid a'i anaf wedi ei orfodi i deimlo pethau newydd, cymhleth – teimladau roedd yn rhaid iddo'u deall os oedd o am fod yn ddawnsiwr gwirioneddol ysbrydoledig. Teimlai Cochyn ei fod ar fin dod i adnabod a deall ei hun yn well. Drwy hynny, byddai'n ddawnsiwr gwell hefyd.

Erbyn hyn roedd o wedi'i dynnu i ganol bwrlwm dawnsio drachefn. Beth am y ddawns roedd o i fod i helpu Jack i'w chyfansoddi? Cytunodd fod ar Jack angen stori i wneud ei ddawns yn fwy diddorol. Tybed … tybed fedrai Cochyn ddefnyddio'i brofiadau diweddar i helpu gyda hynny? Fyddai dawns Jack ddim yn ennill lle iddo yn y cyngerdd Sêr y Dyfodol y tymor yma. Gwyddai'r ddau nad oedd Jack yn ddawnsiwr digon da ar y funud i fod yn Seren y Dyfodol. Doedd o ddim wedi bod ym Mhlas Dolwen yn ddigon hir i ennill marciau chwaith. Ond gyda help Cochyn, gallai ddangos y dalent aruthrol oedd ganddo. Dylen nhw wneud y gorau o ddawns Jack, hyd yn oed os na fyddai neb ond gweddill y dosbarth yn ei gweld hi.

Yna fflachiodd syniad arall drwy feddwl Cochyn. Petaen nhw'n gweithio'n galed ac yn llwyddo i gyflwyno perfformiad gwirioneddol gaboledig, efallai y câi Jack ddawnsio mewn Cyfarfod Pennaeth. Yn aml iawn, byddai cân neu ddarn o gerddoriaeth yn cael eu perfformio ar ddiwedd cyfarfod. Felly, beth am ychydig funudau o ddawnsio? Pam lai? Petai Mr Penardos yn meddwl ei bod yn ddigon diddorol, gwyddai Cochyn y byddai'n ystyried cynnig dawns ar gyfer y perfformiad.

Roedd dau Gyfarfod Pennaeth cyn diwedd y tymor. Petai'n gallu meddwl am thema wirioneddol gref ar gyfer dawns Jack, efallai y byddai cyfle iddo berfformio o flaen pawb yn yr ysgol. Cydiodd Cochyn yn ei faglau a chodi ar ei draed. Teimlai'n rhy gyffrous i aros yn llonydd am un munud yn rhagor. Roedd cnewyllyn syniad yn ei ben. Byddai'n waith caled, ac roedd amser yn brin, ond teimlai Cochyn yn sicr y medren nhw wneud hyn.

Aeth yn ôl i'r prif adeilad cyn gynted ag y gallai. Gyda lwc, byddai pawb yn yr ystafell fwyta yn cael te erbyn hyn. Crensiodd y cerrig mân o dan ei faglau wrth i Cochyn hercian yn ei flaen, yn awyddus i gael hyd i Jack i sôn wrtho am ei syniad. Aeth i fyny'r ddwy ris i'r brif neuadd ac ymlaen i lawr y coridor i'r ystafell fwyta. Ar hynny, daeth Jack a Ravi allan ar eu ffordd i dŷ'r bechgyn. Mae'n rhaid eu bod nhw wedi gorffen eu te yn barod. Pwysodd Cochyn yn drwm ar ei faglau i gael ei wynt ato.

"Jack!" bloeddiodd. "Aros!"

Trodd y bechgyn ac aros i Cochyn frysio atyn nhw.

"Be sy'n bod?" gofynnodd Jack pan gyrhaeddodd.

"Dim byd," atebodd Cochyn wrtho yn wên i gyd. "Newydd gael syniad ardderchog ar gyfer dy ddawns di ydw i! Dwi'n meddwl y byddi di'n ei hoffi, ac os felly, dwi'n meddwl y gallai fod yn fwy nag ymarfer i ti ei ddawnsio yn y dosbarth."

"Wir?" meddai Jack. "Sut felly? Be ydi o?"

Trawodd Cochyn ochr ei drwyn yn ysgafn. "Aros di nes y byddwn ni ar ein pen ein hunain," meddai'n gyfrinachol. "Cei wybod ar ôl imi gael te."

13. Dawns Jack

Roedd pythefnos ar ôl tan ddiwedd y tymor a phawb yn yr ysgol wedi dod at ei gilydd i'r theatr ar gyfer y Cyfarfod Pennaeth. Roedd y myfyrwyr hynaf eisoes wedi gorffen eu harholiadau terfynol ac yn barod i adael heddiw. Gobeithiai ambell un ohonyn nhw fynd ymlaen i goleg cerdd neu brifysgol, tra bod eraill eisoes wedi cael gwaith yn y diwydiant cerddoriaeth.

Eisteddai'r myfyrwyr iau – a Cochyn a Dan yn eu plith – gyda'i gilydd yn agos i'r tu blaen, eisoes yn edrych ymlaen at y gwyliau haf hir. Byddai'n amser i ymlacio ychydig. Ond cyn hynny roedd pythefnos o ysgol ar ôl. Byddai pob myfyriwr a ddewiswyd i berfformio yn y cyngerdd Sêr y Dyfodol angen pob awr o bob dydd o'r pythefnos hwnnw i baratoi. Ysai pawb am gael gwybod pwy fydden nhw! O'r diwedd, daeth y dydd!

I ddechrau, roedd yn rhaid i bawb eistedd i wrando ar lawer o gyhoeddiadau diflas ond pwysig. O'r diwedd, daeth Mrs Powell, y pennaeth, at yr hyn roedd pawb wedi bod yn aros amdano mor eiddgar.

"Ac felly at gyngerdd Sêr y Dyfodol," meddai Mrs Powell, yn deall yn iawn mor awyddus oedd pawb i gael gwybod pwy ddewiswyd. "Mae'r athrawon i gyd wedi bod yn sylwi'n ofalus iawn ar gynnydd pawb drwy gydol y flwyddyn, mewn gwaith dosbarth yn ogystal â pherfformiadau mewn cyngherddau ysgol. Byddwn yn ceisio cael cymaint fyth ag sy'n bosib o amrywiaeth perfformiadau ac oedran, ond oherwydd mai cyngerdd hanner awr yn unig ydi o, mae'r nifer yn gyfyng iawn. Golyga hyn mai'r myfyrwyr hŷn fydd y rhan fwyaf o'r perfformwyr." Oedodd. Roedd pob copa walltog yn dal eu gwynt. Yna dechreuodd ddarllen enwau'r rhai oedd wedi'u dewis, ac ar ôl pob cyhoeddiad, roedd criw o fyfyrwyr yma ac acw yn curo dwylo'n falch i gefnogi eu ffrindiau. Wedi darllen rhyw bump neu chwech o enwau, oedodd Mrs Powell.

"Mae gynnon ni amryw o fyfyrwyr iau talentog

eithriadol hefyd," meddai. "Ac mae rhai ohonyn nhw wedi llwyddo i gael lle yn y cyngerdd. Bydd Rhian Morris yn canu ei chyfansoddiad diweddaraf ar y piano." Cymeradwyodd ei ffrindiau i gyd yn falch, a gwenodd Rhian. "Bydd George Guiness yn chwarae gitâr." Daeth rhu o ochr draw'r theatr. "Dewiswyd Dan James i chwarae'r drymiau ac Erin Elis i ganu."

Ffrwydrodd pawb o amgylch Dan ac Erin, yn llawn cyffro. Gorfododd Cochyn wên anferthol ar ei wyneb prudd – yr orau fedrai o ei rhoi – a dyrnodd gefn ei ffrind gorau. "Da iawn!" meddai wrtho. "Gwyddwn i'n iawn y byddet ti'n llwyddo!"

Tra oedd gweddill eu ffrindiau yn llongyfarch Dan ac Erin, bachodd Cochyn ar y cyfle i droi draw i guddio'r tristwch yn ei lygaid. Doedd o ddim eisiau taflu dŵr oer ar eu llawenydd, ond roedd hi'n anodd dioddef y bwrlwm ac yntau wedi boddi wrth ymyl y lan.

Eisteddai Erin wrth ochr Dan. Trodd ato a chofleidiodd y ddau yn gyflym. "Da 'te?" meddai hi. "Tydi o'n wych! Byddwn ni'n dau ar y teledu! Waw!"

"Ble mae dy gap di?" gofynnodd Dan, gan geisio cael ei hun yn rhydd o'i gafael.

Chwarddodd Erin gan roi'i dwylo dros ei phen. "Mae 'ngwallt i wedi tyfu chydig bach," meddai a thynnu cydyn neu ddau dros ei chlustiau. "A beth bynnag," edrychodd i gyfeiriad Cochyn, "roedd rhywun eisio benthyg cap gweu felly rhois i fenthyg un iddyn nhw."

Roedd yr ystafell yn llawn bwrlwm gwyllt. Pawb yn llongyfarch ei gilydd a Mrs Powell yn gwenu, am unwaith, wrth eu gwylio. Fel roedd pawb yn dechrau tawelu, straffagliodd Cochyn i godi ar ei draed.

"Wyt ti'n iawn?" gofynnodd Dan iddo.

Nodiodd Cochyn, gan geisio rhoi'r argraff ei fod yn fwy llon nag yr oedd o mewn gwirionedd. "Ydw. Mae arna i angen mynd allan i gael mymryn o awyr iach am funud. Mae 'nghoes i wedi cyffio."

Cerddodd i lawr y llwybr rhwng y seddau ac allan drwy'r drws ochr yn araf, yn falch o gael cefnu ar yr holl gyffro yn y theatr. Ond roedd rheswm arall pam ei fod o'n gadael. Sylwodd neb arno'n mynd oherwydd roedd pawb yn y cyfarfod yn dal ar ben eu digon. Roedd Jack ac yntau wedi bod yn gweithio ar syniadau dawnsio Cochyn ar y slei, a Mr Penardos – oherwydd bod y ddawns wedi gwneud argraff arbennig iawn arno – wedi eu hannog i'w pherfformio heddiw. Ond roedd Cochyn wedi newid. Roedd y bachgen allblyg gorhyderus wedi diflannu a'i hunanhyder yn brin iawn. Mewn ychydig funudau byddai pawb yn synnu a rhyfeddu. Gobeithiai Cochyn y byddai'r fenter yn llwyddiant.

Arhosai Jack amdano, gyda'r gôt hir ddu a fenthycodd gan Mr Penardos yn ei ddwylo.

"Wyt ti'n barod?" gofynnodd Cochyn. Nodiodd Jack. Cydiodd yn y baglau tra oedd Cochyn yn gwisgo'r gôt amdano. Tynnodd Cochyn gap gweu du Erin o'i boced a'i dynnu dros ei wallt. Roedd yn rhaid i Jack ei helpu i wthio'i wallt coch, crych o'r golwg o dan y cap. Yna tynnodd Cochyn y cap dros ei glustiau. Gyda'i wallt cyrliog o'r golwg, edrychai'n wahanol iawn.

Gwisgai Jack ddillad llac, llachar, llawer rhy fawr iddo. Bu'r adran wisgoedd yn hael iawn yn eu benthyca iddo. Dros ei wyneb roedd ganddo fwgwd wedi'i beintio'n wyn. Edrychai'n union fel clown mewn syrcas. Hongiai llinynnau du, hir o odrau ei lewys a'i drowsus.

Sleifiodd y ddau ar flaenau'i traed ar y llwyfan. Roedd y llenni wedi cau a Mrs Powell yn sefyll ar yr ochr arall yn dal i siarad efo'r myfyrwyr.

Dringodd Cochyn ar lwyfan bach pren yng nghefn y llwyfan. Defnyddid hwnnw fel arfer pan oedd angen lefelau gwahanol mewn perfformiadau. Yno y byddai Dan yn gosod ei ddrymiau bob amser pan fyddai o'n chwarae – yn hytrach na bod o'r golwg tu cefn i'r gitarwyr. Ond roedd y llwyfan bach yn wag heddiw, heblaw am un gadair. Eisteddodd Cochyn arni a gosod ei faglau ar y llawr wrth ei ochr. Rhoddodd Jack ddarn o bren ar siâp croes iddo, cyn gorweddian ar ei hyd yn swpyn blêr o'i flaen ar y llwyfan mawr. Yn gyflym, bachodd Cochyn ben y llinynnau oedd ar ddillad Jack i'r groes ar ei lin. Arhosodd y ddau heb wneud yr un smic o sŵn.

Roedd Mrs Powell yn dod at ddiwedd ei haraith. "Dim ond un peth arall cyn ichi fynd," meddai. "Fel y gwyddoch, byddwn yn diweddu'r cyfarfodydd hyn yn aml iawn gyda pherfformiad. Heddiw mae gynnon ni fyfyriwr newydd sbon ac un arall sy wedi bod yma ers blwyddyn. Fel arfer, dylanwad pop neu roc fydd ar y perfformiadau hyn, ond oherwydd anaf, dewisodd y ddau fyfyriwr yma wneud rhywbeth ychydig yn wahanol. Dyma nhw felly – Collwyn 'Cochyn Sboncyn' a Jack Cheung!"

Cododd y llen ac edrychodd Cochyn ar y gynulleidfa. Dyna wych oedd bod ar lwyfan, hyd yn oed dan yr amgylchiadau yma. Edrychodd i lawr ar Jack a oedd yn gorwedd yn hollol lipa ar y llawr, fel petai 'run asgwrn yn ei gorff o gwbl. Yn araf, cododd Cochyn y darn pren croes yn ei law, a deffrodd Jack drwyddo.

I ddechrau, cerddoriaeth araf a gofalus oedd i'w chlywed wrth i Cochyn gymryd rhan hen bypedwr cloff oedd yn dysgu'i byped sut i symud. Roedd yn rhaid i Jack ddysgu sut i sefyll, sut i symud heb syrthio a sut i eistedd yn iawn. Chwarddodd y gynulleidfa am ben giamocs Jack. Ond yn raddol, newidiodd y cywair a chyflymodd y gerddoriaeth. Buan iawn y dysgodd y pyped, gan wella a gwella wrth fynd yn ei flaen. Ymhen fawr o dro aeth yn ddiamynedd oherwydd y llinynnau oedd yn sownd i'w gorff. Ymdrechodd y pypedwr i'w rwystro, ond roedd o'n hen ac yn fusgrell a'r pyped yn ifanc, yn mynd yn fwyfwy heini wrth y funud ac yn fwy anodd ei drin.

Chwaraeai Jack ei ran yn ardderchog ond yn lle chwerthin am ben giamocs Jack, roedd y gynulleidfa'n fwy pryderus ynghylch cymeriad Cochyn, sef yr hen ddyn, erbyn hyn. Bellach roedd y disgybl yn gryfach na'i athro ac roedd trin y llinynnau'n frwydr fawr.

"Ara deg!" sibrydodd Cochyn wrth Jack ar un adeg. "Rhag iti 'nhynnu i i lawr!"

Gwenodd Jack yn ôl arno, a llacio'i afael rhyw gymaint.

Ymhen fawr o dro roedd yn rhaid i'r hen ŵr ollwng ei byped. Bellach roedd Jack yn rhydd ac yn pryfocio'r hen bypedwr. Dawnsiodd o'i gyrraedd, gan ei herio'n sbeitlyd, yn llamu a neidio a throelli a pherfformio symudiadau na fedrai'r hen ŵr eu gwneud byth bythoedd.

Daeth y ddawns i ben wrth i Jack lamu o'i gyrraedd a dawnsio'n fuddugoliaethus oddi ar y llwyfan, tra safai'r pypedwr yn drwm ar ei faglau, yn hen ŵr toredig, unig. Wedi i Jack ddiflannu, aeth Cochyn yn ôl i'w sedd a suddo i lawr ar ei eistedd. Synhwyrai pawb ei dristwch wrth i'r gerddoriaeth a'r ddawns orffen ar nodyn dwys, difrifol.

Am ychydig funudau wedi i'r llenni gau, bu tawelwch yn y neuadd. Yna ffrwydrodd cymeradwyaeth fyddarol drwy'r lle. Cyfareddwyd pawb gan y ddawns. Roedd Jack yn byped digywilydd, penstiff perffaith, a Cochyn wedi portreadu tristwch yr hen ŵr yn berffaith hefyd.

Daeth y bechgyn yn ôl ar y llwyfan i foesymgrymu i'r gynulleidfa a chymeradwyodd pawb. Gwenodd Jack a Cochyn ar ei gilydd. Nid dyna'r ddawns roedd Cochyn wedi gobeithio'i pherfformio ar ddechrau'r tymor. Ni fyddai'n cymryd rhan yn y cyngerdd Sêr y Dyfodol, ond cafodd fynd ar lwyfan o flaen cynulleidfa ac roedd y cyfan wedi mynd yn ardderchog.

Erbyn diwedd yr haf – gobeithio beth bynnag –

byddai pen-lin Cochyn wedi gwella'n iawn. Byddai'n dod yn ôl i'r ysgol yn holliach. Roedd y perfformiad byr yma wedi cynyddu rhywfaint ar ei hunanhyder, a Cochyn yn teimlo'n debycach iddo fo'i hun bob munud. Ond fyddai o byth eto'n mentro brifo'i hun drwy ymddwyn yn hurt, ac o hyn allan, dweud jôcs – nid neidio – fyddai ei ddull o greu hwyl.

"Dim rhagor o syrthio," gwaeddodd wrth Jack dros gymeradwyaeth y gynulleidfa.

"Iawn!" cytunodd Jack.

"A'r flwyddyn nesa, *ni* fydd Sêr y Dyfodol," addawodd.

"Wyt ti'n meddwl?" gofynnodd Jack wrth i'r ddau foesymgrymu drachefn cyn i'r llen ddod i lawr o'u blaenau a'u gwahanu oddi wrth y gynulleidfa.

Trodd Cochyn at Jack a'i lygaid disglair yn llawn penderfyniad. "Wir iti!" meddai. "Ti a fi efo'n gilydd, a lwc mwnci yn ein canlyn ni! Fydd *neb* yn medru ein curo ni – gei di weld!"

Cydiodd y naill yn llaw'r llall gan godi'u breichiau i'r awyr.

"Sêr y Dyfodol," addawodd y ddau i'w gilydd. "Sêr y Dyfodol!"

Ac rwyt tithau'n
dyheu am fod
yn seren bop

Drosodd mae rhai o
sêr y byd pop a roc Cymraeg
yn cynnig cyngor neu ddau
a all fod yn
gymorth iti
weld dy
freuddwyd
yn cael
ei gwireddu

Cam bach ar y llwyfan mawr

Digon o dalent?
Digon o ynni ac awydd?
Dyma chydig o awgrymiadau
i'th helpu i fod yn seren bop . . .

Rhaid iti fod yn gadarnhaol –
credu ynot dy hun, a bod yn hyderus.

Dechrau arni – paid â disgwyl.
Ymuna â chor yr ysgol neu
griw cân actol yr Urdd
neu ffurfia fand dy hun.

Does dim rhaid dilyn y dyrfa.
Paid ag ofni bod yn wahanol.

Penderfyniad – mae hwnnw'n beth mawr.
Gweithia'n galed a chanolbwyntia.

Bydd yn greadigol. Rho gynnig
ar sgwennu dy ganeuon dy hun.

Amynedd piau hi! Paid â rhoi'r
ffidil yn y to os na ddaw llwyddiant
dros nos.

Bacha'r cyfle pan ddaw
hwnnw heibio.

Rhaid bod yn barod i addasu –
rho gynnig ar wneud rhywbeth gwahanol
os bydd drws yn agor.

Tân yn y galon – mae'n rhaid
dangos ysbryd a theimlad yn
dy berfformiad.

Gwylia eraill, mae gweld a gwylio'r
sêr wrthi yn addysg ac yn bleser.
Rho help llaw i eraill.
Byddi dithau'n dysgu o
wneud hynny.

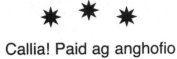

Callia! Paid ag anghofio
dy waith ysgol!

Cadw dy draed ar y ddaear a phaid
â mynd yn ben bach. Mae pawb
angen ffrindiau felly paid ag anghofio
amdanyn nhw.

Bydd yn driw i ti dy hun.

Ac yn olaf – y peth pwysicaf
un – mwynha bopeth ti'n
ei wneud!

Dos amdani!
Mae'r dyfodol yn dy ddwylo di

Cofia am y gyfres i gyd!